La Magrana, 23

Carles Duarte i Montserrat
Mª Àngels Massip i Bonet

# SÍNTESI D' HISTÒRIA DE LA LLENGUA CATALANA

Presentació d' Antoni M. Badia i Margarit

EDICIONS DE
LA MAGRANA

Coberta: Pasqual Giner.

Primera edició: setembre, 1981
© Carles Duarte i Montserrat i
M.ª Àngels Massip i Bonet, 1981.
Drets exclusius d'aquesta edició (incloent-hi el disseny de la
coberta): Edicions de la Magrana, S. A.
Apartat de Correus 9487. Barcelona

Imprès a Novagràfic, Recared, 4 - Barcelona-5
Dipòsit legal: B. 28162-1981
ISBN: 84-7410-084-4

## PRESENTACIÓ

Davant una normalització de la llengua, de la cultura i de les institucions catalanes, que si nosaltres qualificàvem de lenta i de tímida, no ha mancat qui la titllava de massa accelerada, com si, abans de posar-nos on ens correspon, ja n'haguéssim fet un gra massa, van apareixent arreu del país unes mostres d'impaciència que no vacil·lo a anomenar esperançadores. El present llibret n'és una, i ens n'hem de congratular.

No em refereixo, ja ho veieu, a la impaciència —àdhuc indignació, més que impaciència!— que es manifesta en l'actitud de defensa del fet cultural nostrat, injustament i dràstica limitat, o en vies de limitació, per mitjà de normatives pretesament legals. I no vull pas dir que no hàgim de defensar, amb tota l'enteresa i amb tota la valentia, un fet cultural encara convalescent d'una malaltia de prop de quaranta anys. I així ho fem: que el defensem amb totes les nostres forces, a desgrat de no ignorar que els qui l'ataquen disposen d'armes més eficaces que les nostres. No: ara, en presentar aquest llibret de Carles Duarte i Àngels Massip, penso en una altra llei d'impaciència, que també es fa sentir pertot: la de córrer a posar a les mans de tothom els instruments que li puguin fer falta per aconseguir amb eficàcia la volguda i indispensable normalització.

5

Ara és una síntesi d'història de la llengua catalana. En el conjunt de llibres introductoris a les disciplines bàsiques del saber que han de trobar a l'abast, com la cosa més natural del món, els estudiants que acaben els estudis secundaris, aquest llibret no és sinó una petita peça del conjunt. Aquest és, si més no, el meu desig: que sigui una peça, és a dir, que, aviat, ben aviat, els estudiants esmentats tinguin a llur disposició tota mena de resums corresponents a les múltiples matèries que estudien. I que els hi tinguin, dic, en català, com la cosa més natural del món. El dia que això s'esdevindrà (potser ja no molt llunyà?) haurem fet un pas decisiu en el camí de la normalització.

De moment, en tenim un, el que sintetitza la història de la llengua catalana. Un, que fa renglera amb els ja publicats i que espera de veure'n la renglera més i més llarga. És un llibret que presenta la corba evolutiva de la llengua, des de la seva constitució en tant que llengua (a partir, doncs, del llatí vulgar i incorporant-se elements lingüístics de cultures vàries que han jugat un paper important en el decurs de la nostra història) fins als nostres dies. És un text que insisteix en una constant de la història de la llengua catalana: el veïnatge d'altres llengües i cultures. I fa veure fins a quin punt l'evolució de la nostra llengua n'ha restat afectada.

Els autors, Carles Duarte i Àngels Massip, són, entre les darreres promocions sortides de la Universitat, dels qui més prometen. I si dic que prometen és que ja han donat proves que ho podem dir. Ara en donen una altra, que no és pas cosa fàcil d'escometre una síntesi, si hom vol que aquesta no deixi de tenir caràcter i sigui capaç d'interessar aquells a les mans dels quals ha d'anar a parar.

Quant a això darrer, n'estic ben tranquil. Carles Duarte i Àngels Massip han fet bona feina. Jo espero que llur inquietud científica, didàctica i (per què no?) patriòtica llevarà els fruits que la nostra cultura, avui, necessita.

Antoni M. Badia i Margarit

Als professors Badia i Veny,
mestres comuns.

# PREFACI

L'estudi de la història de la llengua ha estat objecte de discussions metodològiques ben importants al voltant de les seves relacions amb la gramàtica històrica. Hom ha establert una distinció entre *història externa de la llengua* i *història interna de la llengua*. D'una banda, la història externa ens ha d'explicar l'evolució dels condicionaments externs; de l'altra, la història interna ens ha d'explicar els canvis de l'estructura.

En realitat, si bé sembla que allò més específic de la matèria coneguda amb el nom d'*història de la llengua* és l'anàlisi de l'evolució de l'ús de la llengua, tot fent-ne un inventari, car de l'evolució de l'estructura, se n'han d'ocupar específicament la gramàtica històrica i la lexicologia històrica, cal reconèixer la importància dels factors externs en els canvis interns. Així, si ensopeguem amb una forma de l'ordre de *recibo* en un document administratiu català del segle XVI, i això és un fet d'història interna de la llengua: hem descobert la presència d'una forma estrangera (concretament castellana) en un text català, fet que és generalitzable i que ens permet de parlar d'un corrent en aquest sentit, podem interpretar aquest fenomen a través de la història externa de la llengua (el context històric en què vivia el català durant aquella època i les repercussions que tingué en el seu ús).

A hores d'ara, freturem de molts treballs sobre temes concrets (documents no recollits o no analitzats,...) i àdhuc de visions generals d'àmbits més extensos (el català com a llengua de tractats científics,...). Tanmateix, podem ja oferir-vos una petita obra de síntesi, bastida a partir de dades d'història externa de la llengua, que arriben sovint a afectar la mateixa estructura interna de la llengua. Però no volem deixar d'esmentar el llibre recent de Manuel Sanchis Guarner, *Aproximació a la història de la llengua catalana*, com a bibliografia fonamental de la matèria que ens ocupa, i l'obra més ambiciosa de Josep Nadal i Modest Prats, en curs d'elaboració.

Aquesta nostra obra és fruit de la col·laboració de dues persones i ha estat elaborada de la manera següent: Carles Duarte i Montserrat va professar al llarg de la segona quinzena del mes d'octubre de l'any 1980 uns cursos d'*Història de la llengua catalana* a la Universitat de Barcelona i els seus apunts han estat refosos per Àngels Massip i Bonet, tot fent-ne, en acabat, una revisió conjunta.

La intenció dels autors ha estat d'escriure un llibre senzill, amè i utilitzable còmodament per alumnes de B.U.P., C.O.U. i primers cursos universitaris, de manera que els fornís un panorama global d'allò que s'ha fet en català d'ençà del naixement d'aquesta llengua. Pel que fa a la bibliografia, n'hem reproduït una tria bàsica a l'acabament del volum, estructurada d'acord amb l'ordre d'aparició dels temes dins el text del llibre, des del qual, a través de crides que introduïm a l'encapçalament de cada apartat, hi remetem. Per acabar, cal aclarir que, en la reproducció de textos o títols anteriors a l'adopció de la normativa actual per al català escrit, hi hem modificat els accents, els apòstrofs, els guionets i la conjunció copulativa, tot adaptant-los a aquesta normativa.

# CAPÍTOL I

## LA FORMACIÓ DEL CATALÀ. I.

## LA ROMANITZACIÓ

L'arribada dels romans a Empúries (segle III a. JC.) fou un fet d'una importància cabdal en la història dels Països Catalans i de la Península Ibèrica. Els pobles pre-romans de la Península (ibers, celtes, bascos) van anar adoptant a poc a poc les formes de vida, la cultura i les institucions dels conqueridors.

La llengua llatina també anà penetrant, primer a les ciutats i llocs més ben comunicats, i després als pobles i zones muntanyenques de l'interior. Els romans no imposaren mai la seva llengua, però, com que tenia molt de prestigi, els pobladors de la península la van aprendre i finalment van deixar de parlar la seva llengua pròpia (llevat dels bascos).

En l'administració territorial romana, els Països Catalans van ésser inclosos dins la província Tarraconense, encara que a la fi de l'Imperi, el sud del País Valencià passà a formar part de la Cartaginense i les Illes van constituir la província Baleàrica.

Cap al s. III es comencen a veure les primeres esquerdes dins la societat imperial romana. Les invasions germàniques i la caiguda de l'Imperi Romà d'Occident l'any 476 d.JC. acaben de desintegrar la unitat de la Romània.

És a partir d'aquest moment, un cop perdut el lligam polític, econòmic i cultural amb Roma, que s'afermen els factors diferenciadors del llatí (alguns dels quals ja s'evidenciaven en la mateixa època imperial) i es gesten les futures llengües romàniques.

Veurem a continuació quins són els factors més importants que contribueixen a la diversificació de les llengües romàniques.

● Factors lingüístics

a) Substrat

Els pobles que els romans van trobar a les províncies conquerides tenien cada un la seva llengua pròpia. Quan aprenien el llatí aquests diferents pobles, el pronunciaven segons els seus hàbits fonètics. Però el substrat no solament influí en la fonètica sinó també en la morfologia, en la sintaxi i en el lèxic. Per això cada un d'aquests pobles deformà el llatí segons les característiques de la seva llengua anterior.

b) Procedència dialectal dels colonitzadors

No tots els colonitzadors procedien de la mateixa zona d'Itàlia, i, per tant, el llatí que van portar a les províncies tenia les característiques pròpies del seu llatí d'origen.

A la Hispània Oriental sembla que van venir pobladors procedents del Migdia de la Península Itàlica (oscos i úmbrics); la varietat del llatí que parlaven degué influir en el parlar d'aquella zona d'Hispània.

c) Extracció social dels colonitzadors

Com sabem, les diferents capes socials de parlants d'una llengua tenen uns determinats trets lingüístics característics (hi ha, posem per cas, un nivell més vulgar de la llengua, un vocabulari típic de cada ofici, etc.). Aquest fet es produí naturalment entre els colonitzadors i és possible que, en casos escadussers, tingués una repercussió en la llengua romànica conseqüent.

## d) Superstrat

A partir de les invasions germàniques, es produeixen en els països de la Romània contactes amb altres llengües diferents del llatí que influeixen sobre el seu llatí d'una manera més o menys profunda segons les situacions. És el cas de la influència germànica sobre el francès, o de l'àrab sobre el castellà i l'eslava sobre el romanès.

● Factors no lingüístics

## a) Cronologia de la romanització

Les zones de la costa van ésser assimilades més ràpidament que les de l'interior, i aquesta diferència cronològica es reflectí també en la llengua.

## b) Geografia i comunicacions

La situació geogràfica allunyada o propera respecte a Roma té conseqüències lingüístiques. Les innovacions lingüístiques neixen generalment en el centre de l'Imperi i després s'estenen. Quan aquestes innovacions són tardanes no arriben a les zones més allunyades (teoria de les àrees laterals de Bartoli) o extremes, que solen ser més conservadores.

Però el que és realment important és la facilitat de comunicacions entre els diferents punts de l'Imperi. A la Costa Mediterrània, proveïda de bones vies de comunicació amb Roma, totes les innovacions lingüístiques hi circulaven bé. En canvi, les zones més mal comunicades, de més difícil accés, com l'interior d'Hispània, de la Gàl·lia, les valls alpines, Romania, Sardenya, tardaven molt més a incorporar les innovacions i mantenien les formes més arcaiques del llenguatge.

c) Factors històrico-polítics

Les regions que, després de la caiguda de l'Imperi, s'uniren en una mateixa organització política augmentaren i enfortiren els nexes entre elles, la qual cosa contribuí a formar una unitat lingüística. En el cas d'Hispània, hi ha una unitat geogràfica i, en canvi, cinc llengües romàniques diferents (més tard, l'aragonès i el lleonès passaren a ser dialectes del castellà). La història ens ajuda a explicar aquests fets.

En aquest sentit, cal assenyalar també la influència uniformitzadora que es produeix al si d'una mateixa divisió eclesiàstica.

## LA PRIMERA MATÈRIA ESSENCIAL DEL CATALÀ ÉS EL LLATÍ VULGAR O COL·LOQUIAL

● Definició (1) *

Anomenem *llatí vulgar* el nivell popular i familiar de la llengua llatina.

El llatí literari, que denominem generalment *llatí clàssic*, establert entre els segles III i II a.JC., va

* Els números entre parèntesis fan referència a la Bibliografia que trobareu al final del volum.

conservar essencialment la mateixa estructura general durant gairebé vuit segles. Però en realitat la llengua parlada anava canviant independentment de la llengua literària, fins al punt de trobar-se en un moment determinat en total desacord. Aquesta inadequació entre llengua escrita i llengua parlada va produir la fragmentació del llatí en diferents dialectes, cada vegada més allunyats de la llengua literària, de manera que aquesta es mantingué en l'escriptura, però deixà d'ésser parlada per cap comunitat.

Per tant, és el llatí vulgar, que va arribar a les províncies romanes amb els soldats, mercaders, colons, etc..., el que va donar origen a les llengües romàniques.

La llengua catalana és el resultat de l'evolució d'aquest llatí vulgar parlat a la Catalunya Vella.

● Vida (1)

La història de la llengua llatina es pot dividir d'una manera global en tres etapes:

1.   Etapa pre-literària: *llatí arcaic*. En aquesta etapa, l'ús de la llengua es produïa gairebé exclusivament a nivell oral. De documents escrits, n'hi ha poquíssims: inscripcions gravades, fragments de cants rituals i de fórmules legals, actes oficials, etc. El llatí arcaic tenia molts elements per expressar les coses concretes, però servia poc per a l'expressió de l'abstracte.

2.   Etapa literària: *llatí clàssic-llatí vulgar*. A mesura que el llatí eixampla el seu camp de relacions humanes i econòmiques i deixa d'ésser només una llengua de pagesos, necessita d'incrementar les seves possibilitats lingüístiques, de crear una llengua lite-

rària. El contacte amb el grec literari és d'una gran importància per a la formació d'aquesta llengua literària llatina, la qual anirà eliminant els arcaismes i agafant molts elements dialectals, del llenguatge religiós i administratiu i també estrangerismes.

La llengua literària així constituïda no era, però, l'instrument de comunicació a nivell familiar i popular, sinó que en aquests nivells es parlava el *llatí vulgar*, amb característiques pròpies, el qual probablement, com és lògic, no era unitari.

**3.** Etapa de decadència de l'Imperi: *llatí tardà-llatí vulgar*. El llatí tardà és el llatí escrit des d'aproximadament l'any 200 d.JC. fins a l'arribada de les llengües romàniques. A nivell oral continuava parlant-se el llatí vulgar.

El llatí vulgar no és, doncs, la llengua d'una etapa determinada, sinó que s'estén al llarg de tota la història de la llengua llatina i comprèn els estats successius d'ençà de la fixació del llatí comú, en acabar el període arcaic, fins a l'aparició escrita de les llengües romàniques.

● **Un cas (2)**

En el llatí vulgar es produeix un fet important per al desenvolupament de les llengües romàniques: *la destrucció de la declinació nominal*, i això és degut a una sèrie de fenòmens que ara veurem:

a) Les consonants finals cauen molt sovint per causa de la seva articulació relativament dèbil.

La -*m* i la -*n*, per exemple, eren caduques ja des de l'època arcaica, com demostren les inscripcions i els testimonis d'escriptors llatins. Només s'han conservat restes de -*m* en els monosíl·labs, com QUAM que ha donat en cat. *quan,* en cast. *cuan,* en prov. *can,* etc.

b) Hi ha una transformació del sistema vocàlic.

En llatí clàssic hi havia deu vocals, cinc de llargues i cinc de breus, i la quantitat vocàlica tenia un valor distintiu. En les llengües romàniques les vocals han passat a distingir-se pel timbre, és a dir, que s'oposen qualitativament i no quantitativament.

El sistema vocàlic del llatí vulgar constava de 7 vocals: *a* procedent de *a* llarga i *a* breu del llatí clàssic; *e* tancada procedent de *e* llarga i de *i* breu del llatí clàssic; *e* oberta procedent de *e* breu; *i* procedent de *i* llarga; *o* oberta procedent de *o* breu; *o* tancada, de *o* llarga i de *u* breu; i *u* procedent de *u* llarga.

D'aquest sistema vocàlic és d'on deriven els de les llengües romàniques.

c) Es va produir també una identitat formal de casos diferents. Per exemple, la terminació *-us,* que correspon tant al nominatiu de la segona declinació com al genitiu de la quarta.

d) Al llarg de l'evolució del llatí es manifesta una tendència creixent a precisar el valor dels casos amb l'ajuda de preposicions, i no solament augmenta l'ús de les preposicions sinó que també n'augmenta el nombre.

e) S'origina una transformació del sistema de gènere del llatí. L'oposició *animat* (masculí/femení) / *inanimat* (neutre) va deixar de correspondre amb els gèneres «naturals» (és a dir, que l'equivalència *inanimat = neutre* havia deixat d'ésser certa), i això va provocar la desaparició o deformació del neutre.

Era lògic, doncs, que, en produir-se tots aquests canvis, la declinació nominal s'anés perdent amb el temps.

- **Fonts de coneixement del llatí vulgar (3)**

Cal tenir en compte que el que trobem no són textos escrits en llatí vulgar, sinó textos on podem trobar «vulgarismes», indicis fonètics, lèxics i sintàctics del llatí coŀloquial, que divergeixen del literari.

a) *Textos literaris vulgaritzants.* Al *Satyricon* de Petroni hi ha un episodi, el *Festí de Trimalció*, on contrasta la parla dels esclaus amb la dels aristòcrates.

b) *Textos gramaticals.* Molt interessant és l'*Appendix Probi*, una llista de 227 mots, dels quals dóna la forma considerada correcta i al costat la que es considera incorrecta (i d'aquesta ha derivat en molts casos el mot de les llengües romàniques). Trobem per exemple «*auris* non *oricla*», i ORICLA és l'origen dels mots que signifiquen «orella» en les llengües romàniques: cat. *orella*; cast. *oreja*; it. *orecchia*; fr. *oreille*; port. *orelha*; occ. *aurelha*. AURICULA és en llatí clàssic el diminutiu de AURIS. El diftong AU se simplifica en *o* en llatí vulgar, i amb la caiguda de la vocal posttònica ens queda ORIC'LA, mot que ja no té un sentit diminutiu, sinó que ha passat a tenir el significat que abans cobria AURIS. L'ús dels diminutius és un fenomen molt freqüent en la llengua familiar i hi ha molts exemples d'aquesta substitució formal del mot pel seu diminutiu: passa així, posem per cas, en OUIS (diminutiu OUICULA), llatí vulgar OVIC'LA, cat. *ovella*, cast. *oveja*, port. *ovelha*...

c) *Inscripcions amb vulgarismes*, de vegades fruit d'errors dels inscriptors materials, de vegades dels redactors.

En una inscripció que procedeix d'Augusta Emerita (s. I d.JC.), hi ha una enumeració d'animals: —MULOS, MULAS, ASINOS, ASINAS, CABALLOS,

EQUAS— que ens permet de veure que ja en llatí vulgar el nom masculí EQUUS fou substituït per CABALLUS i en canvi per al femení es mantingué EQUAS, separació lèxica que trobem avui a les llengües de la península ibèrica: cat. *cavall/egua* o *euga*; cast. *caballo/yegua*; port. *cavalo/égua.*

d) *Glossaris explicatius de textos en llatí tardà,* on, al costat de la paraula o gir considerat estrany a l'ús de l'època, trobem la forma més corrent. Es feien amb la finalitat d'ajudar el lector a entendre millor el text. Així, per exemple, veiem «ARTICULOS: DIGITOS», i d'aquesta forma DIGITOS deriven: fr. *doigt*, cast. port. *dedo*, cat. *dit*, it. *dito*, occ. *det.* De la forma clàssica hi ha en català el cultisme *article* i una forma popular *artell* que significa «juntura o articulació dels dits». O «PUEROS: INFANTES», en català la primera forma ha donat lloc només a cultismes (*puericultura* per exemple), la segona al nom general *infant.*

e) *Les llengües romàniques* ens permeten de veure les principals transformacions que va sofrir el llatí parlat. Si fem un estudi comparat de les diferents llengües romàniques, podem arribar a reconstruir possibles formes del llatí vulgar, que deixaran d'ésser hipòtesis quan en trobem algun testimoni escrit.

Així, deduirem l'existència d'una forma ACUTIARE del llatí vulgar (en lloc del mot ACUERE del llatí clàssic) a partir de les paraules romàniques que hi tenen l'origen: it. *aguzzare*, fr. *aiguisser*, cast. *aguzar*, cat. *agusar* (deducció confirmada pels glossaris).

## EL LLATÍ DIALECTAL (4 i 5)

El llatí tenia unes variants dialectals que ens expliquen sovint que en unes llengües romàniques aparegui un mot i en unes altres en trobem un altre de sinònim, tots dos provinents de dues paraules llatines.

En uns casos es produeix una frontera clara entre els territoris de l'ús dels dos mots, però en d'altres aquesta frontera no és tan clara i la solució pròpia d'uns territoris ha penetrat de manera indirecta a l'altre costat de l'esmentada frontera. Vegem-ne un parell d'exemples: a) el mot llatí EDERE «menjar» fou substituït en llatí vulgar per *comedere* «menjar-ho tot», i *manducare* «devorar mastegant». De *comedere* deriven el cast. i port. *comer*, mentre que de *manducare* deriven el cat. *menjar*, el fr. *manger*, el sard *mandicare*, l'occ. *manjar*, etc.; b) el mot llatí AUCELLUS «ocell» (diminutiu de AUIS «au») és el pare del mot català *ocell*, mentre que en castellà, de l'ocell, en diuen *pájaro*, mot que ve del llatí PASSERU (que en realitat en llatí clàssic servia per anomenar el *pardal* i també l'*estruç*, i que en llatí vulgar tardà prengué el valor general que tenen els mots castellà *pájaro* i romanès *pásare*), però de PASSERU ve també el nom català d'un mena d'ocell: el *passerell*.

## EL NAIXEMENT DEL CATALÀ PARLAT

### a) Llatí medieval/català (6 i 7)

Abans hem parlat de les diferents etapes de la història de la llengua llatina, i dèiem que el llatí

tardà era el llatí escrit des del principi de la deca-
dència de l'Imperi fins a l'aparició de les llengües
romàniques. Però hem de deixar ben clar que el nai-
xement de les llengües romàniques no suposa pas la
desaparició del llatí com a llengua escrita.

El *llatí medieval* és el llatí usat a l'interior de la
Romània d'ençà del moment en què la llengua oral
i quotidiana no és ja el llatí, sinó una llengua rom-
nica. Aleshores el llatí, usat només per les persones
més cultes, no pot ser sentit com una modalitat més
o menys literària de la llengua popular, sinó una
llengua de cultura, que només es pot adquirir a tra-
vés de l'estudi. És, per tant, una llengua apresa (so-
vint mal apresa). La gramàtica llatina era ensenyada
als nens a l'escola, on era la llengua d'ús habitual.
El llatí era el mitjà usual per a l'ensenyament, la
discussió, a l'església, al parlament, en l'ofici de
legislador i de notari, etc. I en aquests àmbits es va
continuar utilitzant en constant decadència d'ús, so-
bretot a partir de la fi del segle XVI, fins al segle
XVIII.

b)  El naixement del català parlat (8 i 9)

Podem parlar d'un període de formació del cata-
là des del segle VI (un segle després de les invasions
germàniques) fins al segle IX. La primera referència
clara a una llengua romànica és una disposició del
concili de Tours (813), en la qual es mana als bisbes
que tradueixin les homilies *in rusticam romanam
linguam.*

El punt de partença per a iniciar un estudi de la
llengua catalana el podem fixar cap a l'any 800; els
barcelonins alliberats dels àrabs l'any 801 parlaven
ja una llengua romànica: el català.

## c) Documentació

No posseïm cap tipus de documentació de trets lingüístics específics catalans al segle VIII.

En els diplomes del segle IX ja comencem a trobar alguna paraula catalana: «ad ipsa *comella* mediana» (9), on *comella* és el resultat de l'evolució de CUMBA, amb l'afegitó d'un diminutiu.

Ni en el segle IX ni en el X trobem cap al·lusió clara a la llengua catalana com a diferenciada del llatí.

Un geògraf àrab del segle IX, quan descriu l'itinerari per la Mediterrània dels marxants jueus, ens diu que aquests parlaven àrab, persa, grec, afrangĭyya, andalusiyya i eslau. Molt probablement aquest afrangĭyya era el parlar romànic de la costa sota el domini franc (i, per tant, el català inclòs); andalusiyya devia ser el parlar ibero-romànic de la costa mediterrània.

Al llarg del segle XI comencem a ensopegar frases de certa extensió escrites amb intenció romànica (catalana), posem per cas als juraments de fidelitat. En trobareu força testimonis d'aquesta mena al *Glossarium Mediae Latinitatis Cataloniae* (9), per exemple: «novem parilios de chonils uius» (1041-1075).

## d) Naixement del català escrit (10)

Cap a la meitat del segle XII tenim ja cert nombre de textos escrits en català, alguns de llargada considerable, bé que escrits sense intenció literària. Els primers d'aquests textos són el *Forum Iudicum* i les *Homilies d'Organyà*, dels quals parlarem després una mica més extensament.

26

# CAPÍTOL II

# LA FORMACIÓ DEL CATALÀ. II.

## LA FORMACIÓ DEL CATALÀ. II (11, 12, 15, 16 i 18)

Com hem estat veient, la matèria bàsica del català és el llatí vulgar. Però a la formació del català han contribuït molts altres elements, que ara estudiarem.

## COMPONENTS DEL SUBSTRAT

Els pobles que vivien a les nostres terres abans de l'arribada dels romans tenien la seva pròpia llengua, que progressivament van anar substituint pel llatí. D'aquestes llengües pre-romanes, se'n coneix ben poca cosa, però és indubtable que influïren en algun aspecte sobre la llengua importada i que en podem reconèixer algunes deixalles en el lèxic i en la toponímia.

a) Substrat basco-ibèric (parlem globalment del basc i de l'ibèric perquè són dues fonts molt difícils de distingir i perquè el basc ens ajuda a la interpretació de les formes ibèriques, encara que devien ser dues llengües diferents): Trobem algunes paraules emparentades amb el basc generals a tot el català: *esquerre, pissarra, lleganya, socarrar, bassa, estalviar, paparra, isard...* També poden considerar-se d'origen basc alguns topònims del nord-oest de Catalunya com: Esterri, Isavarre, Benavarri, Gerri, Llessui, Àreu, Ordino, etc.

**b)** Substrat cèltic: Els celtes, poble indoeuropeu, penetraren a Catalunya segurament pel nord-est entre els segles VII a.JC. i V a.JC. En català, i especialment en els parlars pirinencs, es conserven alguns celtismes com *boïga, carro, cleda, rusc...*, celtismes que trobem també a la Gàl·lia, i alguns dels quals apareixen en castellà i portuguès.

Entre els celtismes essencialment catalans, Coromines cita: *banya, ble, maduixa, perol,* etc.

Pel que fa als topònims d'origen cèltic, sembla que no són gaire abundants. Al nord de Catalunya trobem topònims en —DUNU (M): Besalú, Salardú, Verdú...

Els topònims en -ACU són molt freqüents a la Gàl·lia (Conillac, Cuguçac, Subirac, Trevillac, Vulpellac...) i, en canvi, escassos en territori de parla catalana.

**c)** Substrat sorotàptic: També indoeuropeus preromans, com els celtes, els sorotaptes parlaven una llengua de la qual conservem alguns testimonis en català, com el mot comú *barana* o el topònim *Tec* «el corrent» (riu de la Catalunya Nord).

## CULTISMES

**a)** Cultismes. Són els mots agafats del llatí o del grec literaris, els quals tenen com a característica bàsica el fet que no han evolucionat com ho han fet els mots obtinguts per via popular.

Els *llatinismes* són freqüents dins el català des dels primers temps. N'apareixen ja a les Homilies d'Organyà. Però és sobretot Ramon Llull (1235-1316) el qui introdueix primerencament més quantitat de cultismes dins la llengua catalana. Molts dels cultismes del vocabulari lul·lià apareixen testimoniats abans en català que en les altres llengües romàni-

30

ques. Per donar-ne només uns quants exemples: *actual, cogitar, indivíduu, ociós, necessari, ofici, sensual,* etc.

Al llarg dels segles XIV i XV els cultismes es consoliden i, sobretot al segle XV, els escriptors catalans se senten molt atrets pel cultisme, d'acord amb la moda general a Europa.

Molts d'aquests cultismes, que s'han anat introduint al llarg dels segles, ara ja pertanyen a l'esfera popular.

b) Semicultismes. Són els mots que, encara que no han estat obtinguts totalment per via popular, presenten un cert grau d'evolució fonètica respecte a l'ètim llatí. És a dir, que són semicultismes les paraules on trobem que l'evolució normal ha quedat detinguda. Com a exemple podem agafar el mot català *regla*, procedent del llatí REGULA, on s'ha produït una certa evolució (caiguda de la vocal posttònica —posterior a l'accentuada—, que no trobem en els cultismes estrictes —com ara *regular*—, però on el procés evolutiu ha quedat inacabat (compareu el mot *rella* —també de REGULA—, aquest sí ja amb una evolució acabada i coherent amb la dels altres mots hereditaris —no manllevats, no cultismes— en les mateixes condicions).

c) Al·lòtrops. De vegades un mateix ètim llatí dóna dos o més mots de la llengua, l'un és un derivat culte i l'altre popular. Aquests noms s'anomenen al·lòtrops. El mot llatí IGNORARE (que significa «desconèixer») ha donat dos derivats en català: *enyorar* (derivat popular amb l'evolució fonètica normal, i amb una interessant evolució semàntica: «desconèixer on és algú/quelcom» → «notar-lo a faltar») i *ignorar* (derivat culte sense evolució fonètica).

d) Fins ara hem parlat dels cultismes procedents del llatí, però també hi ha cultismes procedents del grec clàssic, sobretot en el camp dels tecnologismes. Molts d'aquests cultismes són universals:

*telèfon*, que procedeix de TÊLE «lluny» i PHONÉO «jo parlo»

*telescopi*, de TÊLE «lluny» i SKOPÉO «jo miro»

*helicòpter*, de HELIX «espiral» i PTERÓN «ala»

e) Actualment és molt important l'adopció de nous cultismes en el terreny dels vocabularis científics especialitzats. Mentre cada llengua té un determinat mot per designar una determinada espècie, hi ha un mot culte que designa aquesta espècie universalment. Per posar un exemple, l'ocell que anomenem *guatlla* (fr. *caille*, cast. *codorniz*) és conegut internacionalment en zoologia com *Sturnus vulgaris*.

## COMPONENTS DEL SUPERSTRAT I D'ADSTRAT

Anomenem superstrat els estrats lingüístics posteriors a la romanització que han influït sobre una llengua romànica. I parlarem d'adstrat quan hi ha una influència entre dues llengües per motius de veïnatge geogràfic.

Pel que fa al català, els elements de superstrat i adstrat són els següents:

a) grec comú (17)

Encara que els grecs arribaren a Hispània abans que els romans, la seva influència en la llengua catalana és sobretot de l'Edat Mitjana, i Catalunya és, com Itàlia, un centre d'irradiació de lèxic grec entre els pobles veïns (Castella, Portugal, Occitània, França, Sardenya, Sicília, Nord d'Àfrica...).

La major part dels termes grecs que s'introdueixen són del món marítim: *galera* (ant. *galea*), *bolitx* «xarxa del bou petita», *palangre* «ormeig de pescar», *sirgar* «remolcar una embarcació estirant-la amb una corda des de la ribera», *xarxa* (ant. *eixàrcia* i dialectal amb el sentit estricte de «xarxa»), *nòlit* i *noliejar* (cast. *flete* i *fletar*) «preu estipulat pel lloguer d'una nau; preu del transport de mercaderies d'un port a un altre».

Són també d'origen grec: *codonyat* «confitura de codony», *prestatge, calaix, pampallugues* «noses, llums que priven intermitentment la visió», *melangia*, etc.

## b) germànic (17)

Hem de tenir en compte que el llatí vulgar ja havia introduït, a l'època imperial, bastants mots d'origen germànic. Molts dels germanismes del català apareixen també en les altres llengües romàniques occidentals, com *blau, baró, burg, feu, herald, blanc, guanyar, robar, sabó*, etc., perquè pertanyen a un fons comú germànic medieval; generalment es van transmetre per via franco-provençal.

Altres mots, principalment del vocabulari militar, segurament ens arribaren a través dels visigots: *arenga, espia, guaitar, guarir, guerra*, etc. Els visigots, a principis del segle v, s'establiren a la Gàl·lia meridional (Occitània) i als territoris de la Península Ibèrica pròxims als Pirineus. La capital fou Barcelona del 415 al 418, però de seguida passà a ser Tolosa. Quan els francs els van foragitar d'Occitània, establiren la capital a Toledo. De fet, els visigots només van dominar els territoris catalans continentals (no ocuparen mai les Balears) des de l'inici del segle VII fins al 711, any de la invasió sarraïna. Als Països Catalans quasi no hi hagué població germànica, i els funcionaris enviats de Tolosa o de Toledo no tingueren mai gran autoritat, ja que els bisbes i altres autoritats eclesiàstiques del país tenien molt més prestigi i poder polític.

Hi ha uns germanismes típics del català; entre altres, *estona*, *bare* («traïdor»), *òliba*, etc. D'altres són comuns a les llengües peninsulars: *esquilar*, *treva*; alguns són comuns al català i al provençal, però no al castellà (on són manlleus tardans), com *gratar*, *jaquir*, *bugada*, etc.

Els germanismes són especialment nombrosos en la toponímia i en l'onomàstica.

En els documents anteriors al segle XII hi ha una gran majoria de noms de persona d'origen germànic. Després del XII, per influència dels monjos de Cluny, es comencen a preferir els noms del santoral cristià. Avui encara es conserven bastants noms germànics: *Bertran, Elvira, Ermengol, Ferran, Jofre...* I sobretot es conserven molts dels antropònims germànics com a cognoms; vegem-ne alguns: *Gelabert* (o *Gilabert*), del germànic GISALBEHRT, GISIL «fletxa», BEHRT «brillant», *Arnau*, de ARIN «àguila», i WALD «regne»; *Berenguer*, del germànic BERINGAR, BERIN «ós», i GARI «llança»; *Eimerich* (o Aimerich) de HAIMRICH, HAIMI «casa» i RIC «poderós».

La toponímia catalana d'origen germànic és molt abundant, sobretot al Rosselló i a l'Empordà; p. ex.: els que acaben en -*reny* com *Castell de l'Areny, Gisclareny, Estelareny...* i en -*riu* com *Ardariu, Escariu, Escriu, Gitarria, Llofriu, Toloriu...*

## c) àrab (15, 17)

L'aportació aràbiga al lèxic català no és tan transcendent com en castellà, però sovint li hem donat menys importància de la que realment té. Els estudiosos dels arabismes s'han concentrat, en moltes ocasions, en l'estudi dels mots que porten l'article -al al davant, però en català força arabismes no porten aquest element i per això es fan més difícils de reconèixer. Si comparem alguns arabismes castellans amb els catalans corresponents ens n'adonarem de seguida: cat. *barnús* / cast. i port. *albornoz*; cat. *cotó* / cast. *algodón*, port. *algodâo*, etc.

Els arabismes predominen, com és lògic, als territoris de parla catalana on van residir més temps els àrabs (País Valencià, Illes Balears).

Vegem alguns dels arabismes del català:

1. Noms de plantes i fruites: *abellota* (valencià, cat. general *aglà*), *albercoc, albergínia, carxofa, alfals* (sinònim d'*userda*), *arròs, cotó, dacsa* (cat. general *blat de moro*), *garrofa, llimona o llima, safrà, taronja, tramús* (cat. general *llobí*).

2. Noms del món de la construcció: canalització: *safareig, sínia o sénia, sèquia*; materials: *jàssera, rajola*; construccions: *alcova, algorfa o golfa, magatzem, racó, ràfec, tarima*.

3. Noms de vents: *garbí, xaloc*.

4. Atuells domèstics: *catifa, gerra, matalàs, safata, setra, setrill, sofà, tassa*.

5. Altres: *alcohol, drassana, gandul, quitrà, sucre*.

També hi ha molts topònims i antropònims d'origen àrab, sobretot a les Illes i al País Valencià. Entre els topònims podem citar com a exemple: Albaida «la blanca», Alcora «les masies», Alcalà «el castell», Alfara «el barri», Guadalaviar «riu blanc», Massalió «hostal de les fonts».

Alguns topònims tenen com a origen un nom pro-
pi de persona, de vegades precedit per ABU-L «pare»,
d'altres per BEN «fill»: Albocàsser, Vinaròs, Vim-
bodí, Benicàssim, Benissalem...

Són d'origen àrab molts cognoms catalans com:
*Albalat, Borja, Eixarc, Fos, Gassull, Mesquida, Mas-
sot, Omar, Rufat...*

d) occità (16)

Les relacions entre Catalunya i Occitània foren
intenses durant molts segles. Com sabem, des dels
inicis de la Literatura catalana fins a la meitat del
segle xv gran part de la poesia s'escrivia en proven-
çal o en un català molt aprovençalat i, per tant, lògi-
cament, havien d'entrar molts occitanismes no sola-
ment en la poesia, sinó també en la prosa: *baudor*
«alegria», *lausor* «lloança», *eixarnit* «discret, ben dis-
posat», *lairó* «lladre», etc. Pocs en resten en la llen-
gua actual; semblen de procedència occitana: *em-
patxar* «impedir», *mermar* (no acceptat) «disminuir»,
*faisó* «manera», *beutat* «bellesa».

Però a part dels préstecs antics, hem de conside-
rar també els moderns, que penetren a les zones de
parla catalana veïnes a l'occità (Rosselló especial-
ment): *araire* «arada», *let* «lleig», *pastre* «pastor»,
*lluset* «llampec».

e) francès (16)

Són importants tant els préstecs del francès antic
com del francès modern.

Francesismes medievals:

1. Termes de la vida cavalleresca i cortesana:
*arnès, estendard, llinatge, palafrè, cornamussa, lliu-
rea, rogicler, jardí, patge...*

2. Noms de la construcció i la decoració: *clara-*

*boia, pinacle, xamfrà, xemeneia,* etc. Alguns d'aquests termes passaran al castellà a través del català.

Francesismes moderns:

Mots del món de la cuina: *consomé, entrecôte...*

Altres: *camió, corsé* (no acceptat), *edredó, hotel, moda, quinqué, somier, xofer,* etc.

## f) italià (16)

Des de finals del segle XIII, hi ha hagut entre Itàlia i Catalunya unes relacions molts intenses, sobretot amb Sicília i Sardenya i després amb Nàpols. La influència lingüística de l'italià sobre el català ha estat poc estudiada.

La major part dels italianismes del català estan documentats en la segona meitat del segle XIV i en tot el segle XV. A partir d'aquest moment es fa més difícil de seguir-los la pista, principalment per la manca de textos catalans.

Hem de distingir els italianismes antics (medievals i renaixentistes) dels moderns.

Són italianismes antics mots com: *artesà, emboscada, macarró, madrigal, medalla, novel·la, pantà, regata, saldo,...*

Són italianismes moderns molts mots relacionats amb l'art i la música: *batuta, canterano, partitura, piano, sonet...,* però també d'altres camps: *bagatel·la, casino, escopeta, sentinel·la.*

El dialecte alguerès, dins un territori políticament italià, ha sofert una invasió contínua d'italianismes i, per tant, ha de ser objecte d'un estudi a part del del català general.

## g) castellà (16)

Els contactes lingüístics entre Catalunya i Castella són antics i, com és natural entre llengües veïnes, hi ha un préstec de vocabulari del castellà al català i del català al castellà ja des de l'Edat Mitjana.

El català comença a adoptar castellanismes cap a la segona meitat del segle XIV. Entre aquests castellanismes antics trobem: *bando* («facció, partit») que ha estat adaptat al català en *bàndol* (acc.)[1] *almorzar* (forma valenciana) i *esmorzar* (acc.), *boda* (acc.), *coix* (acc.), *coça, entregar, xarnego.*

Durant el segle XV i especialment a partir de la unió amb Castella (1479) augmenta molt el nombre de castellanismes i això es degut al fet que el castellà a partir d'aquest segle i sobretot en els següents té cada vegada més prestigi social. En el segle XV trobem mots com *cego, despedir, despedida, mentira* (adaptat *mentida* (acc.), *mosso* (acc.), *saio, sombrero...*

Durant els dos primers segles de la decadència catalana, que coincideixen amb el *Siglo de Oro* de la literatura castellana, s'introdueixen en el català molts castellanismes: *agasajo, aposento, aplauso, assentar-se, alabar* (acc.), *buscar* (acc.), *cuidar, cuidado,* (els) *demés, estrado, loco, llàstima* (acc.), *palàcio, preguntar* (acc.), *puesto, quedar* (acc.), *queixar-se* (acc.), *tarda* (acc.), *tossino, vano* («ventall»).

Aquests castellanismes no foren adoptats en totes les regions de parla catalana ni van fer desaparèixer totalment els mots genuïns, però sí que han estat elements disgregadors, sobretot durant els tres segles (del XVI al XIX) en què el desconeixement entre les diverses regions de llengua catalana féu que, on no existia un objecte determinat, s'adoptés un castellanisme i no el nom català de la regió on aquest objecte sí que existia i tenia una denominació genuïna.

1. acc. = acceptat, admès pel *Diccionari General de la Llengua Catalana.*

Però l'entrada en massa de castellanismes tant lèxics com sintàctics es produeix a partir del Decret de Nova Planta de Felip V, que suposa la pèrdua de la individualitat política catalana i la imposició de les lleis de Castella. El català deixa d'ésser la llengua oficial de l'administració, de l'escola i de l'església. Durant tot el segle XVIII i la primera meitat del XIX va perdent prestigi i deixa també d'ésser la llengua de la literatura i de la ciència.

Aquesta situació, amb un interval molt important per a la història de la llengua catalana (la Renaixença, Mancomunitat, Institut d'Estudis Catalans, P. Fabra, Generalitat de Catalunya), continua, i agreujada, a partir de 1939, després de la Guerra Civil, com veurem amb detall més endavant.

Entre els castellanismes moderns podem citar: *abono, aliviar, andén, apoiar, averiguar, bueno, concejal, colmo, cuidado, despejar, gasto, retrassar, sombrilla,* etc.

h) americà

A través del castellà, el català ha rebut una sèrie de paraules procedents de les llengües pre-colombines d'Amèrica (asteca, carib, quítxua...): *butaca, cacau, cacic, canoa, huracà, petaca, tauró, tomàquet* (amb moltes variants d'adaptació en els diferents dialectes: *tomàtec, tomàtic, tomata, tomaca, tomàtiga...*), *xocolata...*

i) anglès

Dels anglicismes hem de distingir:
*a*) Mots anglesos que s'han adaptat al català a l'illa de Menorca (després d'haver sofert l'illa tres dominacions angleses): *xoc* «guix» (anglès *chalk*), *boínder* «balcó de vidrieres» (ang. *bow window*),

*pinxa* «arengada» (ang. *pilchard*), *flor* «paviment de fusta» (ang. *floor*) *fàitim* «tupada, cop» (ang. *fighting*) etc.

*b*) Tecnicismes moderns a tot el català, admesos:

— en el camp de l'esport: *esport* (a. *sport*), *futbol* (a. *football*), *golf* (a. *golf*), *crol* (a. *crawl*).
— en altres camps: *bistec* (a. *beefsteak*), *club* (a. *club*), *flash* (a. *flash*), *míting* (a. *meeting*), *rosbif* (a. *roast beef*), *yatch* (a. *yatch*)...

j) alemany

Són menys abundants: *feldspat* (al. *feldspat*), *zenc* i *zinc* (al. *zink*).

k) caló

Llenguatge argòtic dels gitanos que ha deixat alguns mots en la llengua comuna, a nivell familiar: *halar* «menjar», *pirar* «anar-se'n», *xaval* «noi», *camelar* «voler, estimar, festejar, enamorar», *canguelo* «por», *dinyar-la* «morir», *menguis* «jo», etc.

l) neerlandès

Com és ara el cas del mot *dic*, provinent del neerlandès *dyk*.

m) serbo-croat

Vet aquí la llengua d'origen del mot català *corbata*, tot i que és l'italià la llengua que ens transmet directament aquesta paraula, en fer de mitjancera entre el serbo-croat i el català.

## n) hongarès

Llengua que ens forneix (és clar!) el mot *hússar*. D'altres llengües han proveït el català de mots diversos, sovint, com en el cas de *hússar*, per una vinculació directa entre l'ens anomenat i la llengua d'origen del mot corresponent.

# CAPÍTOL III

# TRES CONFLICTES SOCIOLINGÜÍSTICS
# A L'EDAT MITJANA

## EL CATALÀ, LLENGUA EN CONTACTE

El català ha estat sempre, des dels inicis de la seva història, en situació de contacte amb altres pobles, posseïdors de llengües i cultures diferents.

Aquesta situació de contacte lingüístic ha produït un seguit de conflictes i, en general, totes aquestes llengües han afectat d'alguna manera el català, encara que no en els mateixos aspectes ni amb la mateixa intensitat.

En uns casos s'ha donat un contacte essencialment només a nivell *polític* (per exemple, el català i l'aragonès en la cort medieval); en altres casos ha estat un contacte a nivell *literari* (és el cas del català i l'occità en els poetes medievals, o bé el del català i castellà en molts escriptors a partir del segle XVI); finalment, aquest contacte s'ha pogut donar a nivell *popular*, i això afecta la llengua d'una manera més profunda que en els casos anteriors.

Els contactes més importants que s'han produït als Països Catalans al llarg de la història són, a més dels tres que estudiarem especialment en aquest capítol, els següents:

— llatí-català

Fins que el català no esdevingué llengua de cultura, i emprada per l'aparell d'un Estat, hi hagué una situació de diglòssia: el llatí era la llengua A, usada

per a tota manifestació escrita; el català, llengua B,
usada per tothom com a llengua parlada.

— català-occità

A partir del segle XIII, els escriptors catalans
adopten com a llengua poètica l'occità. Aquest fet
va ser degut al gran prestigi de la cultura occitana,
de les seves institucions (el feudalisme) i de la lite-
ratura trobadoresca, que és presa com a model pels
poetes catalans. A més a més, afavoria aquesta adop-
ció el fet que el català i el provençal són dues llen-
gües molt semblants.

— català-aragonès

A partir de la unió de Catalunya amb Aragó
(1137), l'aragonès esdevé també llengua de la Cort,
al costat del català i del llatí. Molts notaris i escri-
vans devien saber les tres llengües, i en aquest nivell
les influències mútues entre català i aragonès devien
ser freqüents, així com a la zona fronterera.

— català-castellà

Des de la unió dinàstica de Castella i la Confe-
deració catalano-aragonesa amb Ferran II (1479), co-
mencen a sentir-se les influències del castellà. Del
conflicte lingüístic que es produí per causa d'aquest
contacte, en parlarem als capítols següents.

— català-francès

El contacte del català amb el francès es pro-
dueix a partir del Tractat dels Pirineus (1659), pel
qual Felip IV de Castella cedeix una part del terri-
tori català (la Catalunya Nord) a Lluís XIV de

França. De seguida es genera un conflicte lingüístic: s'hi prohibeix l'ensenyament del català a les escoles i l'ús del català en els documents públics. Una clara situació de dominació que es continua mantenint en els nostres dies.

— sard-català-italià

L'any 1323, els catalans iniciaren l'ocupació de l'illa de Sardenya, acabada l'any 1353, i el 1354, després de la rebel·lió dels pisans i genovesos, Pere el Cerimoniós, amb la finalitat d'aconseguir addictes a la corona, poblà la ciutat de l'Alguer de catalans. D'aleshores ençà, l'Alguer ha estat sempre catalana, des del parlar fins a les pràctiques jurídiques.

Com que a la resta de l'illa es parla el sard, s'han anat produint al llarg dels segles constants influències mútues.

Posteriorment, quan l'illa passà a mans italianes, i hi fou l'italià la llengua oficial, aquesta llengua repercutí sobre el sard i també sobre el català de l'Alguer, especialment dins l'esfera del lèxic.

## CONFLICTE LINGÜÍSTIC BASC/CATALÀ
(20, 21, 22, 25 i 15)

L'àmbit geogràfic on se situa aquest conflicte lingüístic és a les comarques de la Ribagorça, el Pallars, la Vall d'Aran, l'Alt Urgell, Andorra i la Cerdanya.

● Situació anterior a l'arribada dels romans a la Península:

a) Les valls pirinenques havien estat un lloc de refugi per als habitants de les terres veïnes, els quals s'hi arreceraven durant les èpoques d'invasions, etc.

La realitat d'aquesta funció de recer queda curiosament palesa a Andorra, on descobrim una estratificació de les diverses capes de poblament, corresponents a sengles immigracions. Així, les capes més antigues són les de la part més fonda de la vall.

b) Aquestes comarques parlaven una llengua basca i posseïen una cultura pagana, a les quals restaren fermament fidels.

Llur llengua, com dèiem, havia d'ésser un parlar basc o bascoïde, ja que s'identifica o permet de ser interpretat pel basc.

Pel que fa a llurs creences, en tenim testimonis evidents: P. Bonnassie (22) p. 73: «l'any 900, el bisbe d'Urgell, Nantigís, ha de fer cap a la Quar, a l'Alt Berguedà, *per tal de consagrar els temples dels ídols*, referència evident a la supervivència d'un culte indígena».

● Manteniment del basc

a) Els romans no hi van penetrar, però sí que hi van installar algunes colònies militars en punts estratègics: Llívia (Julia Lybica), a la Cerdanya; Isona (Ieso), al Baix Pallars.

b) Com la romanització, la difusió del cristianisme fou també molt tardana en aquestes regions pirinenques i aquest es començà a propagar en basc. Sanchis Guarner (15) p. 56 fa constar un testimoni del segle IV de la necessitat d'utilitzar el basc per a la propagació de la religió cristiana: «Per aquells gentils i per aquests estimats bàrbars teus, bàrbars tant d'ànima com de llengua, que encara creuen que els seus ídols no coneixen pas la mort, amb paraula amorosa i parlant a cadascú en la seva llengua pròpia, els insinuaves el coneixement del nostre Déu.»

c) Tampoc no hi va haver penetració sarraïna.

En el moment de l'entrada dels musulmans, el basc havia començat a recular (ja no es parlava a Tremp-Pallars Jussà) cap al nord, a tancar-se a les altes valls, sobretot a les valls de Cardós, Vall Ferrera, Boí, Cabdella i l'alta i mitjana Vall d'Aran. Quant a topònims d'origen àrab, ens n'han quedat vint a la Ribagorça, fet que no es repeteix al Pallars, on no n'hi ha cap.

d) El Pallars i la Ribagorça van ésser incorporats al Marquesat de Tolosa, dins l'Imperi carolingi (806), i no al Marquesat de Gòcia, del mateix imperi, on estaven agrupats els comtats catalans orientals de la Marca Hispànica.

● Romanització

a) Resistència de l'Alt Pallars

L'Alt Pallars, que penetra més al nord que l'Alta Ribagorça, protegit per una muralla de muntanyes sense solució de continuïtat i separada de la resta de Catalunya per les barreres del Montsec i del Collagats, es manté fermament davant la invasió musulmana (el governador àrab de Lleida anava contra Barbastre i la Llitera, sobretot), que no hi arriba, i davant la romanització, que hi arriba amb retard, més tard que no pas a la Ribagorça i a la part oriental de l'Alt Aragó.

b) Incorporació política a Catalunya

El comtat de l'Alt Pallars va mantenir la seva autonomia fins a finals de l'Edat Mitjana, quan les altres terres catalanes ja s'havien unificat feia molt sota la direcció del casal de Barcelona.

La Ribagorça fou incorporada a Navarra el 1017, i al Regne d'Aragó el 1044. La incorporació del

Pallars Jussà a Barcelona és posterior a l'any 1177 i queda ratificada l'any 1192. En canvi, el Pallars Sobirà no s'incorpora a Barcelona fins l'any 1229. Recordem, perquè us adoneu del context històric, que, també l'any 1229, és conquerida Mallorca, que Eivissa fou conquerida el 1235 i el País Valencià entre el 1232 i el 1245.

● Restes lingüístiques

L'existència de l'esmentat estat de bilingüisme menarà a la generació d'una situació lingüística específica, simbiosi de basc i llatí.

Tenen parentiu amb el basc mots del vocabulari comú: *gallorsa* «ramat de muntanya» (de *gallor* «cim»), *ontina* «bosquet d'algues» (de *ondo* «soca»), *sàrria* (de *zare* «paner» amb article *zarea*), *llastó* «gramínia de la muntanya» (de *lasto* «palla»), *lleganya* (de *lakaiña* «fil, fibra, rugositat»).

Però, sobretot, trobem testimonis del basc en els topònims. Són molt abundants al Pallars, fins i tot en la toponímia menor: *La Bescarga* (Farrera) del basc *bizkar-ga* «sense cims»; *Areste* (Àreu) del basc *Are(i)s-ti* «lloc plantat d'arbres»; *Ose* (Àreu) de *osin* «pous». També n'hi ha a Andorra, l'Urgellet i la Cerdanya. A Andorra: *Arinsal* (La Maçana) del basc *arantzadi* «espinal»; *Erts* (La Maçana) del basc *ertz* «riba». A l'Urgellet: *Besora* de *Basa uri-a* «el poble del precipici». A la Cerdanya: *Aravó* del basc *aragune* «lloc de la plana»; *Dorres* de ITURRES, plural romanitzat del basc *iturri* «font» (Dorres és un poble que té a l'entrada una font sulfurosa coneguda per les seves propietats curatives); *Urtx*, antigament *Urgi*, que significava «estany» «font»=«lloc de l'aigua», i d'aquí el diminutiu *Urgell*, i *Bascaran* potser de *basko aran* «vall basca» o bé de *baso-ko aran* «vall de l'espadat o la malesa». És especialment remarcable la presència de topònims com és ara *Ginestarre* «ginestar», on trobem un radical romànic, provinent del llatí, amb un sufix basc, fet que ens demostra l'existència d'una situació de bilingüisme.

Vegem també alguns trets fonètics caracteritzadors d'aquell parlar primitiu reflectits en els topònims:

a) Conservació de *-o* final: *Pujòlo, Obago, Montalbo, Basco, Arenyo, Forcallo*.

b) Conservació de *-e* final: *Corte, Ausate, Niarte, Bovente*.

c) Caiguda de la *-n-* intervocàlica: *Lo Solau, Pieda* (per Pineda), *Mustiri* (< MONASTERIUM).

d) Conservació de la *-n* final: *Puigfalcon, Estaon, Aran, Estaran, Baién, Larén*.

e) No palatització de la *l-*: *Lats* (del basc *lats* «rierol»).

## CONFLICTE LINGÜÍSTIC MOSSÀRAB/ÀRAB
## (15, 24, 26 i 27)

● Definició del mossàrab

El mossàrab, també anomenat aljamia, era la llengua romànica parlada pels indígenes hispànics de les terres dominades pels àrabs (continuació natural en aquells territoris del llatí vulgar). Els indígenes mantenien sovint llur religió cristiana, però d'altres vegades van renegar del cristianisme i malgrat això continuaren parlant la llengua romànica pròpia.

● Documentació

La documentació que posseïm d'aquests parlars mossàrabs se centra en cinc fonts importants:

a) El *Vocabulista in Arabico* de Ramon Martí.

És un diccionari llatí-àrab i àrab-llatí del segle XIII, que sembla d'autor català.

b) Els glossaris d'obres mèdiques, farmacèutiques i botàniques, com el de Ibn Biklāriš (mossàrab aragonès de probable nissaga catalana), de 1106, que conté 200 noms en romanç.

c) Les ḫarǧas, que són l'estrofa final o tornada de les muwaššahas, poemes en àrab. Les ḫarǧas estaven escrites en un lèxic barrejat de mossàrab i àrab o hebreu, i els mots mossàrabs generalment representen un 60 per cent del total.

Són cançons eròtiques, posades en boca d'una donzella que s'acomiada del seu estimat o que en plora l'absència. Entre les ḫarǧas conegudes, n'hi ha d'autors de València, Dénia, Lleida...

En transcrivim una com a exemple:

«kand meu sidi, yā qawmu
ker(r)ā, bi-ḷḷāh
suo al-asī me dar-lo»

«Quan el meu senyor, oh bona gent!,
voldrà, per Déu,
donar-me la seva medecina?»

d) Els *Llibres de Repartiment*. Aquests documents recollien la distribució dels territoris conquerits als àrabs entre els participants de l'exèrcit catalano-aragonès i s'hi transcrivien força noms de lloc mossàrabs.

e) També ens ajuda a saber alguna cosa d'aquest parlar la toponímia actual (p. e.: Es Colombar, ...).

● **Trets lingüístics del mossàrab**

a) s'hi nota un conservadorisme general;

b) s'hi conserva el diftong *ai* romànic: *fornair*;

c) s'hi conserva el diftong *au* llatí: *llauret*;

d) en general no hi ha diftongació espontània de *e* i *o* breus llatines: *Petra, Bunyola*;

e) s'hi conserva generalment la *-o* final llatina: *Muro, Campos*;

f) solen mantenir-se sordes les oclusives intervocàliques llatines: *Ripelles, Serratella*...

● Vitalitat del mossàrab a València (la situació és si fa no fa paraŀlela a la de les Illes)

a) Es produeix un enfrontament amb l'àrab, llengua dels dominadors, que, a més, no era uniforme: hi havia l'*àrab clàssic*, l'*àrab vulgar* i el *barbaresc*. Des del començament es manifesta una situació de dominació que s'anirà agreujant amb el temps: l'àrab és la llengua oficial, la llengua de cultura, la llengua de la religió, mentre que el mossàrab es va limitant cada vegada més al parlar familiar.

b) Fins al segle XII predomina el mossàrab, la llengua dels indígenes del país, que tenia una vida general a nivell parlat, mentre que l'àrab quedava reclòs en un àmbit molt petit.

c) A partir del segle XII, dos factors provocaran el començament d'una revolució lingüística: 1) L'emigració massiva de mossàrabs després que els almoràvits reconquerissin València (1102) de mans del Cid, i després de la fallida incursió del rei aragonès Alfons el Bataller (1125); 2) L'afermament progressiu per als mossàrabs de la consideració de l'àrab com a llengua de cultura (es va perdent el coneixement del llatí i l'àrab esdevé vehicle aleshores d'una poderosíssima activitat cultural). La caiguda del Califat i el naixement dels diversos regnes de Taifes, independents entre ells, afavorirà l'expansió i l'amarament de la cultura i de la religió àrabs en els territoris de la Península Ibèrica que es trobaven sota el seu domini.

d) L'any 1157, els almohades ocupen al-Andalus (la Hispània sota el domini musulmà) i intensifiquen la persecució dels mossàrabs. És llavors quan l'àrab hi triomfa com a llengua comuna.

e) Quan es produí la conquesta de València per Jaume I, la situació sembla que era la següent: 1) Les classes de parla aràbiga comprenien un sector molt ampli de la població i no un nucli privilegiat i reduït; 2) Les classes populars de parla romànica, si és que existien, eren gairebé invisibles en la vida pública. Però els fets semblen indicar que aquest sector parlava àrab, ja, tal com passava en general a les classes mitjana i alta. Se'n pot concloure que els indígenes havien acabat per adoptar la llengua, la religió, les formes de vida dels conqueridors musulmans i les havien adoptades fins al punt de fer-les íntimament seves i defensar-les (més endavant) amb una ferma estimació.

f) En tot cas, el mossàrab que pogués haver resistit, desaparegué *definitivament* després de la croada, engolit pel català.

## CONFLICTE LINGÜÍSTIC ÀRAB/CATALÀ A VALÈNCIA (23 i 15)

Immediatament després de la conquesta de València per Jaume I (1238), s'encetà un conflicte lingüístic, que no cessarà fins a l'expulsió dels moriscos l'any 1609.

En el moment de la conquesta, l'àrab era la llengua comuna al llarg de les terres valencianes. La conquesta comportà una emigració dels àrabs, que es concentren a les zones rurals.

● Evolució demogràfica

a) El nombre de cristians que van establir-se de primer moment a les terres valencianes era molt petit. El 1270, segons testimoni d'una carta de Jaume I als Consellers de Barcelona, els cristians eren 30.000, i els musulmans no devien ésser menys de 100.000.

b) Durant els segles XIV i XV augmentà la població catalana, atreta per les perspectives de treball i prosperitat del Regne de València. De tota manera, el nucli musulmà es mantingué, si fa no fa, tan important com el cristià.

c) A partir del segle XVI, la immigració provocada per una certa eufòria econòmica i per la guerra de les Germanies trenca l'equilibri a favor dels cristians.

d) L'any de l'expulsió dels moriscos (1609), aquests constituïen un terç de la població.

● Evolució de les relacions de convivència

a) Ja des del moment de la conquesta, les dues comunitats van reconèixer la necessitat d'una convivència pacífica. Els àrabs es trobaven dominats militarment, encara que molts havien acceptat la sobirania dels reis catalans no per la força de les armes, sinó a través de capitulacions pactades i això els feia sentir més lliures. Per la seva banda, els cristians havien de menester la mà d'obra agrícola que els fornien els àrabs.

b) La noblesa, que se serveix per al seu enriquiment de la mà d'obra àrab —barata, submissa, i eficaç—, n'esdevé defensora, i els àrabs, al seu torn, s'alien amb la noblesa, tot creant un front comú. Així, mentre a Castella es perseguia radicalment les dissidències religioses, a Aragó les Corts de Montsó de 1510 reconeixien el dret a la llibertat de religió.

c) La guerra de les Germanies (1520-1523) arrenglera els moriscos amb la noblesa, cosa que provoca la persecució violenta dels àrabs pels agermanats. Els musulmans són obligats brutalment a batejar-se (segons Gaspar Escolano «*bautizábanlos con escobas y ramos mojados en una acequia*»), i sovint els mataven en acabat de batejar-los. La rivalitat entre els pagesos cristians i els moriscos no era només perquè aquests eren aliats del feudalisme, com hem vist, sinó també perquè els moriscos ocupaven uns llocs de treball i era molt difícil desplaçar-los per causa de la seva submissió i de la seva gran capacitat.

d) Una vegada passada la revolta, molts d'aquests moriscos batejats a la força tornen a practicar l'islamisme, tot provocant que hi intervingués la Inquisició. Després d'un llarg espai de temps de gran tibantor, s'arriba a l'expulsió el 9 d'octubre de l'any 1609.

● La llengua dels moriscos

A) *Competència i ús lingüístics*

a) Els moriscos parlaven una modalitat de l'àrab vulgar i conservaven el coneixement de l'àrab culte, que era ensenyat entre ells essencialment en funció dels textos religiosos.

b) Els moriscos desconeixien en la seva major part el català, car la reclusió en uns nuclis concrets no els n'exigia el coneixement. Ara bé, segurament, la gent que vivia a les ciutats, on hi havia molts cristians vells, devien aprendre aljamia (nom que els àrabs donaven a la llengua dels cristians), almenys un mínim per a poder relacionar-s'hi. Hi ha alguns documents que ens informen de com parlaven els moriscos el romanç: un romanç ple d'irregularitats sintàctiques, i això demostra que només devien parlar-lo eventualment.

c) L'algaravia (nom que els cristians donaven a la llengua dels moriscos) es feia servir també com a llengua escrita en documents de matrimonis, vendes, etc., i, com dèiem, els alfaquins (responsables de la lectura de l'Alcorà) ensenyaven a escriure i a llegir l'àrab als infants.

d) L'algaravia no deixà d'ésser mai la llengua dels moriscos, els quals la parlaren fins a la seva expulsió.

## B) Connotacions i conflicte

a) Els moriscos s'aferraven a la seva llengua com a element identificador de la seva col·lectivitat, vinculat clarament a la religió.

b) Com hem vist ja, després de la guerra de les Germanies es produeix un constant estira i arronsa entre la Inquisició i els moriscos. El 1528 es fixen ja terminis perquè els moriscos aprenguin aljamia: la Inquisició demana que això es faci en deu anys, els moriscos valencians creuen que necessiten quaranta anys.

c) La Inquisició i la Corona, que pretenen cristianitzar els musulmans, ho fan pràcticament sempre en castellà —sobretot— i en català, llengües no enteses pels moriscos, perquè: «*Quando los pueblos están sugetos a un mismo imperio, los vasallos tienen obligación de aprender la lengua de su dueño*» (fragment d'un «discurs» del doctor Josep Estevan, bisbe d'Oriola, adreçat l'any 1595 a Felip II).

d) Els moriscos es resistien a l'assimilació perquè tenien consciència que el manteniment de llur llengua anava íntimament lligat al de llur religió i a la seva diferenciació com a comunitat.

e) Els cristians temien, encara, que, com que no

entenien l'algaravia, els moriscos els traïssin i per
això es prenen unes mesures:

I.  Es força la desarabització de l'escola: «*Que se
les quite el leer y escrivir aràbigo* (...) *Que ningún
muchacho nuevo convertido aprenda a leer ni escrivir
arábigo, sino castellano o valenciano*» (Ordre del
Consell Reial 1565). Don Martin González de Celori-
go, advocat de la Inquisició, l'any 1598 arriba a exigir
«*que se les prohiva la lengua arábiga y que no la
enseñen a sus hijos so pena de vida*».

II.  S'ataca l'ús escrit de l'àrab; el bisbe Figueroa
demana que «*se castigue al que escriviesse en Ará-
bigo*».

# CAPÍTOL IV

# EL CATALÀ AL LLARG DELS SEGLES XII, XIII, XIV I XV

## CONTEXT HISTÒRIC

a) Aconseguida la independència respecte a França (a la qual havia quedat incorporada com a Marca Hispànica arran de la invasió musulmana de la Península), l'any 1010, la Catalunya cristiana començà les seves campanyes d'expansió territorial. Ramon Berenguer I (1035/76) esdevé senyor de Carcassona i Rasès; Ramon Berenguer III es casa amb Dolça de Provença i incorpora a la Corona de Barcelona el comtat de Provença (1112) i el 1114 conquereix Eivissa i Mallorca, encara que les hagué d'abandonar per tornar a la Península.

b) Ramon Berenguer IV, el 1137, en un moment difícil per a Aragó, gràcies al seu prestigi, aconseguí d'unir el regne d'Aragó amb el Comtat de Barcelona, per cessió del rei Ramir, pare de Peronella, amb la qual es casà posteriorment. La unió afavorí totes dues bandes: Aragó es veié protegit contra els àrabs i els castellans per un país més fort; Catalunya augmentà els seus territoris, el poder i el prestigi. Els dos pobles es respectaren mútuament les lleis, les institucions i les llibertats.

c) Entre el 1148 i el 1149, Ramon Berenguer IV conquereix Tortosa, Lleida, Fraga i Mequinensa. I és a partir d'aquest fet que podem parlar de Catalunya Vella (corresponent a l'antiga Marca Hispànica) i Catalunya Nova (formada per aquestes terres reconquerides als àrabs).

61

d) Dins el regnat de Pere I el Catòlic es produeix un fet amb conseqüències importants per a la història dels Països Catalans: la Batalla de Muret (1213), on l'exèrcit català és vençut pel francès i hi mor el rei. Catalunya perd tots els seus dominis occitans.

e) Jaume I conquereix Mallorca el 1229, Eivissa i Formentera el 1235, el 1238 València, i gradualment tot el País Valencià. El català s'estén per totes aquestes terres i s'imposa sobre l'àrab.

L'any 1258 firma el Tractat de Corbeil amb Lluís IX de França, a través del qual s'obliga a no reivindicar les terres occitanes perdudes pel seu pare Pere I.

En el testament (1276), Jaume I divideix les seves possessions: la Catalunya Nord, les Illes Balears (excepte Menorca, encara sarraïna) i la ciutat de Montpeller, les deixa a Jaume; el País Valencià, Aragó i el Principat al sud de les Alberes, a Pere.

f) La societat catalana comença a trontollar a la fi del segle xiv; des de 1348, es van succeint una sèrie de plagues, pestes i fams que delmen la població catalana. D'altra banda, es crea un malestar social: els mercaders, pagesos de remença i menestrals reivindiquen els seus drets; l'aristocràcia terratinent i urbana es mostra intransigent. I tot això aboca el Principat, el segle xv, en una decadència.

g) La crisi augmenta encara més quan Martí l'Humà mor, el 1410, sense descendència, i en el Compromís de Casp (1412) s'elegeix com a rei Ferran d'Antequera, que introdueix a Catalunya la dinastia dels Trastàmara.

# LES PRIMERES MANIFESTACIONS ESCRITES AUTÒNOMES (L'ADMINISTRACIÓ I L'ESGLÉSIA)

## I) Segle XII

El primer text que s'ha trobat escrit en català és la versió literal del *Forum Iudicum* (28), codi de lleis visigòtic, de la segona meitat del segle XII. Si bé no té gran interès literari, sí que en té d'històric i lingüístic.

També són de finals d'aquest segle o de començament del segle XIII les *Homilies d'Organyà* (29). És un sermonari escrit en català, vinculable al corrent que té com a punt de partida primigeni la disposició de predicar en llengua vulgar que es dicta en els concilis de Reims (813) i de Magúncia (847). El text presenta molts arcaismes i en alguns passatges sembla que es poden veure matisos de la doctrina heterodoxa valdesa; per això es creu que podria ser l'adaptació d'un sermonari occità, possiblement d'un de Sant Marçal de Llemotges.

Recordem que l'aparició de l'esmentat món heterodox occità —càtars, valdesos, beguins— fou, amb l'ascens de la burgesia i el trencament dels ordres en què s'estructurava la societat medieval, una de les causes de l'accés dels laics al món de la cultura, accés que ens ajuda a explicar en el nostre cas la incorporació del català en l'àmbit de la llengua escrita.

## II) Segle XIII

De l'any 1272 és el llibre *Les Costums de Tortosa* (30), que és el primer codi de lleis escrit originàriament en català. Es tracta del primer codi de dret modern català que incorpora el dret romà enfront dels usatges feudals. Codi pactat entre la senyoria i la ciutat, fou, possiblement, la base dels Furs de València.

Les *Vides de Sants Rosselloneses* (31) (fi del segle XIII) és una traducció catalana de la *Llegenda Àuria* de Jaume de Voràgine, amb els trets discrepants propis d'un dialecte de transició cap a la llengua d'oc. L'obra és, doncs, d'un gran interès lingüístic i dialectològic i no deixa de tenir un interès literari, ja que, encara que és una versió catalana d'un text llatí, els traductors hi introdueixen aclariments afegits, i a més, en certs casos, utilitzen el romànic amb habilitat i amb elegància notables per a l'època.

Un text important per a l'estudi de la llengua del segle XIII és la traducció catalana anònima del *Dialogorum Libri IV*, del Papa Sant Gregori el Magne (publicada dins la col·lecció Els Nortes Clàssics, amb el títol de *Diàlegs*, vol. I, a cura de Mn. Jaume Bofarull, i vol. II, a cura d'Amadeu-J. Soberanas). El traductor segueix molt fidelment el seu model llatí i de vegades dóna parelles de sinònims que tradueixen un sol mot de l'original llatí (p. ex.: demanda o preguera; opinió o fama; sous o diners; solaç o confort...).

## POESIA D'AUTOR CATALÀ EN LLENGUA OCCITANA

La poesia dels trobadors comporta la realització de les primeres petjades laiques (en realitat estrictament cortesanes) en el món de la cultura medieval i fou el fenomen literari més important que es produí durant els segles XII i XIII en llengua romànica.

Reflex d'una manera d'actuar d'una determinada classe social, la poesia trobadoresca es desenvolupà en diversos estils i gèneres.

Els estils propis de la poesia trobadoresca són:

El *Trobar Clus*, d'expressió difícil, hermètic i sovint moralitzador. Busca la dificultat en el recarregament de conceptes, en la dicció enigmàtica.

El *Trobar Ric*, variant del *clus*, busca la dificultat en la riquesa del llenguatge.

S'oposa a aquests dos, el *Trobar Leu*, lleuger, directe i emotiu.

Entre els gèneres poètics més rellevants, hem de citar:

— LA CANÇÓ, el gènere més característic de l'expressió amorosa trobadoresca, on el poeta lloa i idealitza la dama, d'acord amb la casuística de l'amor cortès.

— EL SIRVENTÈS, poesia d'expressió de la ira, l'odi, de l'atac personal, de la reprensió moralitzadora i de la propaganda ideològica.

— EL PLANY és una composició destinada a plorar un esdeveniment tràgic.

— LA PASTOREL.LA explica l'encontre d'un cavaller o el trobador mateix amb una pastora i el seu diàleg amorós.

— LA DANSA I LA BALADA són cançons aptes perquè siguin ballades. Es caracteritzen per la presència del *refrany*, que és cantat pel cor mentre el solista canta les cobles.

El gran prestigi d'aquesta poesia fou la causa que els poetes cultes contemporanis catalans escrivissin també en aquesta forma i en aquesta llengua. Entre d'altres, Guillem de Berguedà, Guillem de Cervera, Cerverí de Girona (l'un i l'altre no semblen pas ser la mateixa persona; més aviat sembla que el primer sigui l'oncle del segon), Ramon Vidal de Besalú (que escriví, a més, una mena de gramàtica occitana, possiblement el primer text de la filologia romànica, *Las razós de trobar* (32).

No podem oblidar, així mateix, els vincles que

existien en aquesta època entre catalans i occitans, com hem vist en la introducció històrica.

La influència lingüística occitana s'estendrà, tot i que de manera minvant, fins al segle XV, quan Ausiàs March se'n desempallegarà d'una manera pràcticament absoluta.

## RAMON LLULL

Va néixer a la ciutat de Mallorca el 1232, però, escriptor de vocació tardana, no començà a escriure fins cap als anys 1260-70, i a partir d'aleshores no cessà la seva activitat literària i científica fins a la mort (vers 1316).

En Llull veiem la primera maduresa de la llengua catalana. Donà l'impuls inicial a la llengua literària. Però no solament escriu en català la prosa literària, sinó també els tractats de filosofia i teologia, cosa insòlita fins aleshores, car abans aquest àmbit era dominat clarament pel llatí. I també en català escriu la poesia, encara que en els seus poemes apareixen un bon nombre d'occitanismes.

● La llengua de Ramon Llull (33, 34 i 35)

a)   Ramon Llull escriu en català per dos motius: en primer lloc, per la dificultat que tenia a l'hora d'expressar-se en llatí, tot i que l'escrivia, i això ho demostra el fet que els textos catalans són literàriament superiors als llatins; en segon lloc, escriu en català mogut per un afany de proselitisme: sap que la manera d'arribar més directament als seus lectors i de fer-los seguir les seves doctrines és parlant-los la seva llengua. I és per raó d'aquesta idea que escriu en català, per als lectors catalans, en àrab quan els seus lectors han de ser àrabs, i en llatí quan s'adreça als altres europeus.

b) Ramon Llull, com a escriptor, té un doble vessant. D'una banda, és un filòsof, i la seva intenció és especulativa, encara que els resultats siguin de gran qualitat literària. Aquesta intenció primera té dues conseqüències lingüístiques importants: la creació d'un vocabulari científico-filosòfic i la facilitat amb què domina l'estructura sintàctica.

D'altra banda, és un escriptor depressiu: després d'un fracàs, d'una decepció, Ramon Llull esdevé poeta i narrador brillant, es dedica a fer una obra d'imaginació.

c) La llengua de Llull és essencialment unitària; tanmateix, sovint hi trobem algunes formes que, a la vista dels dialectes moderns, el professor Badia ha interpretat com a trets dialectals mallorquins. Per donar només un exemple, fixem-nos en els verbs incoatius de la tercera conjugació, que forma la primera persona amb la desinència -esc (jo beneesc, jo envellesc), avui típica del baleàric, en lloc de la forma analògica en -eixo del català central.

d) Amb Llull es produeix un afermament de la sintaxi.

I) El Dr. Badia i Margarit (34) ens explica que dins la sintaxi primitiva de les llengües romàniques hi havia un notable predomini de la parataxi (o juxtaposició gramatical) sobre la hipotaxi (o subordinació gramatical) i que la imprecisió que aquest fet podia provocar era superada mitjançant el ritme i la melodia.

II) En l'etapa següent es coneixen ja les conjuncions gramaticals, però reduïdes a un nombre molt petit i sovint una mateixa conjunció té valors diversos, la qual cosa fa que encara sigui necessari de recórrer al ritme, a la melodia i a recursos fonètics semblants.

En Llull hi ha ja gran abundor d'oracions compostes. L'estructura d'oració composta que més es repeteix és la següent: un verb principal i dos tipus de subordinada; una d'infinitiu (o bé una oració personal) i una de conjuntiva, aquestes a la vegada poden portar subordinades de relatiu. Us en posem un exemple: «E desijà haver fills los quals fossen servents de Déu, a qui ell pogués lexar los béns temporals que tenia, e que ans de sa mort servís a Déu en alguna orde de religió.»

La repetició d'un *que* enunciatiu o completiu, després d'una oració d'incís, és un tret estès en la sintaxi romànica dels primers temps i també en la sintaxi lul·liana: «jo us prec que los pecadors qui amem la vostra misericòrdia, que.ls perdonets».

La completiva *que* és substituïda sovint per *com*, que afegeix a la frase un matís modal o ponderatiu: «Recordà-se... com era en càrrech de mantenir la gran casa.»

La conjunció *perquè*, com en català modern, té valor causal i final:

causal: «per ço que ell era també cap de son llinatge»

final: «per ço que no haja embargament»

La concessió és l'etapa més elaborada de la subordinació gramatical i, per tant, exigeix un alt grau de maduresa idiomàtica. En Llull trobem exemples de concessives amb *jassia* (*encara que*), la conjunció concessiva més difosa en català antic:

«e jassia que nobilitat de coratge no sia cosa corporal»

I també amb la frase «mal son grat», origen de la conjunció concessiva actual *malgrat*.

III) Oracions de relatiu.

Llull usa molt les oracions de relatiu, sovint encadenades les unes amb les altres. Això, que representa una continuïtat d'un tret anterior, contribueix a la manca de fluïdesa que de vegades s'observa en el llenguatge lul·lià. Encara col·laboren a carregar més la frase dos fets: la substitució freqüent de *qui* o *que* per *el qual*, i l'ús del relatiu en lloc d'altres expressions (per exemple «en una ciutat havia un hom qui era orb» en lloc de dir «un home orb»).

Com ocorre en llatí i per influència llatina en les llengües romàniques, les oracions de relatiu s'empren molt sovint amb el valor de diferents oracions subordinades, sobretot finals:

final: «trametre un metge qui pensàs d'ell» (perquè tingués cura d'ell)
causal: «lo frare murí per defalliment de metge qui no.l visità sovint» (per tal com no el visità sovint)
final: «anà a un çabater que li calçàs unes çabates» (notem que diu *que* i no *qui* —com correspon a un antecedent personal—, i amb això veiem que té un valor clarament conjuntiu: «perquè li calçàs unes çabates»)

IV) Subjuntiu de subordinació.

Ens diu el Dr. Badia i Margarit (34):

«Els textos anteriors a Llull defugen, tant com poden, el subjuntiu. És indubtable que la història de la sintaxi oracional romànica podria explicar-se a través de la lluita victoriosa del mode subjuntiu que, suprimit de soca-rel pel llatí vulgar, ha anat estenent-se en romànic a mesura que augmentaven les possibilitats expressives de les llengües modernes. No es troba, en català primitiu, més que un ús precari del subjuntiu: en fórmules equivalents a l'imperatiu («sia esmenat», «don-li cavaler», etc.), en oracions finals....» «El subjuntiu és substituït sistemàticament, en l'època primitiva, pel futur d'indicatiu.»

Llull empra constantment, tot trencant amb la tendència anterior (que preferia el futur d'indicatiu), el subjuntiu de subordinació, és a dir, que l'oració subordinada, encara que expressi una realitat objectiva, adopta el subjuntiu pel fet de ser subordinada. Aquesta manera gramatical d'indicar subordinació era la pròpia de la gramàtica llatina. Exemple de Llull: «e cor lo món sia en tan gran discòrdia e desordenament, temedora cosa és ésser apostoli».

En les oracions condicionals, quan la subordinada no expressa un fet present i real, la solució més freqüent, en el llenguatge lul·lià, és el subjuntiu: «si discreció hagués no jugara amb aquella ploma» (el principal és el passat en -ra, avui seria el condicional en -ria). Tot i així, de vegades també empra la solució més popular, l'imperfet d'indicatiu, en la subordinada: «si no era virtut, entre massa e poc no hauria mitjà».

En resum, doncs, podem dir que en general la sintaxi lul·liana és lògica i flexible i té una gran fluïdesa conjuntiva, modal i temporal. Hi abunden les oracions compostes i hi ha un ús abundant de relatius i de subjuntius de subordinació.

La sintaxi de Llull té molts trets savis, calcs directes del llatí, però a la vegada hi ha mostres de sintaxi popular i afectiva, preses de la llengua col·loquial.

## e) Llull estableix un lèxic científico-filosòfic

En el llenguatge de Llull hi ha dos tipus de paraules: els popularismes i els cultismes. Llull usava en proporció més elevada els mots populars en les obres narratives. En canvi, en les de caràcter filosòfic o científic, hi ha més cultismes, exigits per la temàtica i pel públic al qual anaven dirigides.

### 1) *Els popularismes*

Gran part d'aquests mots són vius en el català actual. D'altres són arcaismes. Hi ha uns arcaismes fonètics com *crou* (creu), *tesores* (tisores), *colpa* (culpa), *soplegar* (suplicar)... De vegades trobem dues formes per expressar el mateix significat, segons la diferent manera d'evolucionar el mot llatí: *nèdeu* i *net* (NITIDU), *lig* i *llei* (LEGE), *manugar* i *menjar* (MANDUCARE)...

Hi ha uns altres arcaismes que són paraules que deriven de mots llatins o germànics diferents dels que han originat el mot del català actual: *flum* (FLUMEN) / *riu* (RIVIUM); *frare* (FRATER) / *germà* (GERMANU); *pec* (PECUS) / *imbècil* (IMBECILLUS); *sútzeu* (SUCIDU) / *brut* (BRUTUS); *tolre* (TOLLERE) / *llevar* (LEVARE)...

### 2) *Els cultismes*

Són gairebé tots llatinismes. Aproximadament un 18 % del lèxic lul·lià es compon de llatinismes directes, és a dir, sense quasi adaptació a les característiques del català. La majoria d'aquests llatinismes han perdurat (p. ex.: atribuir, demostració, ignorar, privació, àtom...) i s'usen en el català modern. D'altres són arcaismes: *accídia* «peresa», *àer* «aire», *odor* «olor», *pigre* «peresós», *responsió* «resposta», *scible* «que es pot saber»...

Però Llull, a més d'adoptar cultismes, els pren i

71

en forma derivats, d'acord amb les seves necessitats expressives.

Els mots lul·lians derivats d'altres paraules (especialment per sufixos) ateny el 20 %. D'aquests mots derivats, n'hi ha una sèrie que no es troben ni en llatí ni en català actual: són paraules que ell va construir (afegint sufixos als mots llatins o catalans) per expressar conceptes que no tenien forma exacta d'expressió ni en llatí ni en català usual. I així surten, per exemple, a partir del substantiu *bondat* i *bonesa* (o *bonea*), derivats com *bonificar, bonificable, bonificabilitat, bonificament, bonificant, bonificatiu, bonificativitat,* etc.

## DESENVOLUPAMENT D'UNA LITERATURA AUTÒCTONA (PROSA, POESIA, TEATRE)

I) Prosa històrica, moralitzadora i especulativa

1) La historiografia medieval. Les *quatre grans cròniques* tenen, a més de la seva importància historiogràfica, un interès lingüístic i literari, ja que són peces narratives de gran valor creatiu. Les cròniques narren l'època de plenitud de la Catalunya medieval i ens permeten de conèixer un seguit d'aspectes de la societat catalana d'aquell temps.

a) Els textos històrics en català més antics són les traduccions de *De Rebus Hispaniae* (1268) i de *Gesta Comitum Barcinonensium* (entre 1267-1283).

b) *El Llibre dels Feyts* (1274?) de Jaume I és la primera de les cròniques, i narra, en forma autobiogràfica, la vida i les gestes més importants del rei. Aquesta crònica, així com la de Desclot i la de Muntaner, conté prosificacions de narracions poètiques (cançons de gesta). Les cançons de gesta eren cantades pels joglars, els quals anaven pels pobles per difondre notícies i a la vegada per divertir la gent.

c) *La Crònica de Bernat Desclot* (1288) explica els fets ocorreguts des d'Alfons I el Cast fins a Pere II el Gran.

d) *La Crònica de Ramon Muntaner* (1325) és la més llarga de totes. Historia el període que va del naixement de Jaume I (1207) fins a la coronació d'Alfons III el Benigne (1328).

e) *La Crònica de Bernat Descoll* (1386), escrita per ordre de Pere III el Cerimoniós, abraça tot el seu regnat i el del seu pare Alfons el Benigne.

2) Prosa religiosa: el representant més destacat n'és fra Francesc Eiximenis (1327-1407). La seva obra més ambiciosa és *Lo Chrestià*, que deixà inacabada. Havia de comprendre tretze llibres on s'exposessin totes les idees sobre el dogma i la moral del Cristianisme.

3) Prosa oratòria: Sant Vicent Ferrer (1350-1419). Dedicà 13 anys de la seva vida a predicar per terres d'Europa. S'han conservat molts dels seus *Sermons*, que uns escrivents copiaven directament mentre ell parlava.

4) Bernat Metge i l'humanisme (1340-1411). Metge fou el primer que percebé i assimilà els canvis de sensibilitat literària procedents d'Itàlia. Els seus trets més significatius de caire humanístic es poden sintetitzar en: exaltació de la bellesa com a finalitat, sentit crític, ironia, escepticisme. Totes aquestes característiques queden paleses en *Lo Somni*, escrit en un estil llatinitzant en la sintaxi i en el lèxic.

5) La reacció moral classicista: Antoni Canals (1352-1419) en la seva obra *Escala de Contemplació* combat amb arguments extrets dels autors clàssics el corrent escepticista que s'havia estès entre els nuclis nobiliaris de la Cort catalano-aragonesa, als quals pertanyia Bernat Metge.

Dins d'aquest corrent de reacció moral, cal també situar Felip de Malla (1360/70-1431), autor d'un repertori de visions al·legòriques: *Lo pecador remut*.

6) L'estil de valenciana prosa: Joan Roís de Corella (1433/43-1497). En Roís de Corella podem parlar d'un humanisme decorativista: l'obra corelliana és molt rica en imatges i en ambientacions escèniques. Ell mateix defineix la seva prosa com a «valenciana prosa», manera artificiosa d'escriure, resultat d'una retorització progressiva i d'una forma força classicitzant. Segons A. Ferrando (57), però, la caracterització «valenciana prosa» té a veure especialment amb el fet de la seva valencianitat més que no pas amb un estil literari. Un dels escrits més interessants per al lector actual és la *Tragèdia de Caldesa*, novel·leta d'amor que inclou també fragments en vers.

II) Poesia

0) Progressivament, els poetes catalans van iniciar un procés de desprovençalització. Citem els autors més destacats de més a menys provençalitzats:

1) Andreu Febrer (1357/1444), autor de la primera traducció en vers de la *Divina Comèdia* de Dante.

2) Gilabert de Pròixita (1405), autor d'un *Cançoner* de tema amorós.

3) Jordi de Sant Jordi (c. 1399-1424), de la producció poètica del qual són remarcables els poemes *Los enuigs* i *Presoner*.

4) Ausiàs March (1397-1459): suposa un trencament amb la poesia trobadoresca pel que té de meditació personal i d'intimisme, i per la seva llengua, ja absolutament desprovençalitzada. Un exemple clar d'això és el seu *Cant Espiritual*.

5) Joan Roís de Corella.

6) Bernat Hug de Rocabertí: *La glòria d'amor* (1467).

7) Pere Torroella.

## III) Narració fictícia

1) Narracions menors (*Salut d'amor, Disputació d'En Buc ab son cavall, Testament d'En Bernat Serradell de Vich*; novel·letes exemplars: *Istòria d'Amich e Melis, Lo fill del senescal d'Egipte...*).

2) Anselm Turmeda (acaballes del XIV-1423): en vers *Llibre dels bons amonestaments*, en prosa *Disputa de l'ase*, que conté unes històries anticlericals a l'estil dels contes de Boccaccio.

3) *Història de Jacob Xalabín* (principi del segle XV).

4) *Curial e Güelfa* (entre 1435-1462), novel·la de cavalleries d'autor anònim.

5) *Tirant lo Blanc* (entre 1460-1490), excepcional novel·la de cavalleries del valencià Joanot Martorell, però acabada per Martí Joan de Galba, autor d'una categoria molt inferior a la de Joanot Martorell.

6) *Spill* de Jaume Roig, que la començà a redactar el 1460. És una novel·la escrita en vers, d'un to sorneguer i sever respecte del sexe femení.

## IV) Teatre

1) Teatre hagiogràfic

a) es basa en la litúrgia, les festes patronals i les processons (sobretot la del Corpus).

b) es representa dins l'església.

c) els textos que se n'han conservat són breus i de vegades només ens n'han arribat les frases pertanyents al paper d'un actor. En general es repeteixen històries i situacions.

d) cap a la segona meitat del segle XIII, neixen els misteris, classificats en tres cicles: el de Nadal, el de la Passió i el de la Resurrecció.

e) a part dels cicles principals, també es feren representacions amb textos presos de l'Antic Testament i de vides i llegendes de sants. Entre els textos que ens han pervingut cal destacar les quaranta *Consultes mallorquines* copiades a partir dels anys 1598 i 1599, i l'*Epístola farcida catalana de Sant Esteve* de mitjan segle XIII.

2) Teatre profà

a) derivat del món dels joglars (documentats el segle XIV com a actors professionals: Pere Çahat «mestre del joc d'amor») i dels diàlegs lírics i de debat.

b) els espectacles que sabem que es feien eren diversos: jocs, entremesos, mascarades..., els quals, encara que no són drames pròpiament, segurament tenien parts dialogades.

c) a la València de la fi del segle XV i al llarg del segle XVI trobem una sèrie d'obres dialogades de to realista, satíric i popular, que podien ésser fàcilment representades davant d'un auditori: *El procés de les Olives* (publicat el 1497) de Bernat de Fenollar; el *Somni de Joan Joan*, de Jaume Gassull, que ve a ser una conclusió d'*El Procés de les Olives*; el *Col·loqui de dames* (anònim del segle XV).

d) a Barcelona i a Perpinyà el teatre té força èxit al llarg dels segles XV i XVI.

V) Poesia popular

1) La cançó

a) Com ens recorda Martí de Riquer, la cançó és un fet cultural arrelat en l'ésser humà de ben antic, que n'ha fet companyia durant el treball o la guerra, expressió lírica de sentiments d'amor, etc., la qual cosa ha comportat una gran diversitat de composicions i una dificultat d'estudiar-les plegades i de fer-ne una simplificació.

b) Les cançons populars es transmetien oralment i per això ens en queden poquíssimes transcripcions escrites. Dins la traducció catalana del *Decameró* (1429) en trobem algunes que el traductor ha escrit substituint les cançons italianes. Una cançó d'amor que trobem en aquesta traducció és la coneguda «No puc dormir soleta, no».

c) Un altre tipus de cançó popular són les Nadales, documentades des de l'inici del segle XVI: «Gran meravella esta nit / que una verge n'ha parit, / e és-ne romasa poncella».

d) Els goigs són poesies en llaor de la Mare de Déu, les quals trobem documentades a partir dels darrers anys del segle XIII i primeria del segle XIV. L'estrofisme dels goigs és el de la dansa de la poesia provençal.

2) El romanç

El Romancer constitueix una part molt important i molt típica de l'art popular i és viu encara a totes les terres de parla catalana.

a) Té una llarga tradició amb vinculacions amb l'equivalent francès i provençal d'una banda (que li forní forta empremta ja al segle XV) i amb l'equivalent castellana (a partir del segle XVI).

b) En posseïm documentació escadussera des del segle XV, que s'espesseeix durant la decadència.

## ALTRES FONTS DE DOCUMENTACIÓ
## DEL CATALÀ MEDIEVAL

### I) Les cartes

Posseïm diversos epistolaris medievals (*Epistolari de Pere III* de Ramon Gubern; *Epistolari del segle* xv de Francesc Martorell; *Epistolari del Renaixement* de Max Cahner; *Cartes privades del segle XV a l'Arxiu de Santa Maria del Mar* dins *Misc. Aramon*, Manuel Riu).

Ens donen una informació sobre un nivell més o menys culte de la llengua parlada (conservem cartes comercials, familiars, etc.).

A vegades la carta és una pura obra literària, com és ara el cas d'*Estefania de Requesens*.

### II) Llibres de cuina

Us en podem esmentar el *Llibre de Sent Soví* —editat recentment a cura de Rudolf Grewe— (s. xiv-s. xv), el *Llibre del coc de la Canonja de Tarragona* (1331), el *Llibre del coch* del Mestre Robert —editat modernament a cura de Veronika Leimgruber— (fi del s. xv-inici del s. xvi), aquest darrer fou molt popular i se'n feren força edicions catalanes i diverses traduccions.

### III) Llibres de batalla

Es tracta de documents escrits acostats a la literatura pròpiament dita que servien per a desafiar algú a una batalla o perquè algú respongués a un desafiament.

## IV) Traduccions de la Bíblia

Les primeres notícies segures que tenim sobre l'existència de versions catalanes de la Bíblia són del segle XIII (com l'encarregada per Alfons II a Jaume de Montjuïc).

Un exemple notable d'això són les *Llegendes rimades*, part de la traducció de la Bíblia en català antic feta per Fra Romeu Sabruguera (s. XIII-s. XIV), document ben interessant per a la història de la llengua i que ha estat objecte d'un estudi de Joan Coromines. De mitjan segle XIV és la traducció dels evangelis del *Còdex del Palau*. Així mateix, cal destacar ben especialment la versió catalana de la Bíblia que va enllestir el valencià Bonifaci Ferrer devers l'any 1396 i que no fou impresa fins l'any 1478 (es tracta d'una obra que tingué una vida ben dissortada i que es veié atacada durament per la Inquisició).

## V) Documents administratius (36)

El català fou utilitzat dins l'àmbit administratiu de manera ben estesa durant l'Edat Mitjana, i prova d'això és la seva aparició habitual en contractes comercials (comandes, etc.), textos legislatius (sentències, etc.), documents administratius quotidians (certificacions, etc.), en els judicis i en els parlaments a les Corts.

Pel que fa a la constitució d'un llenguatge administratiu de caire autònom, cal marcar-ne unes etapes d'evolució:

a) dels primers textos (segle XII) fins a la segona meitat del segle XIII: etapa de gènesi, en què trobem documents amb una redacció molt imperfecta i generalment curts o fragmentaris; p. e.: el *Forum Iudicum* (conservat parcialment).

b) de la segona meitat del segle XIII fins a la

segona meitat del segle xiv: etapa de creixement, en la qual comencen d'aparèixer els primers grans codis legislatius redactats en català, amb un lèxic, en certs casos, excepcionalment ric, però amb una sintaxi encara bastant deficient, p. e.: *Les Costums de Tortosa* (el primer codi legislatiu redactat ja originàriament en català), la traducció catalana dels *Furs de València*, la primera versió catalana localitzada dels *Usatges de Barcelona*, el nucli més antic (*Costumes de Mar*) del *Llibre del Consolat de Mar*, etc.

c) de la segona meitat del segle xiv a la segona meitat del segle xv: etapa de saó; es tracta de l'època més brillant de la Cancelleria Reial, el llenguatge administratiu de la qual esdevé aleshores el model de la prosa literària catalana. Podem esmentar, entre els funcionaris de la Cancelleria responsables de la redacció de documents administratius: Bernat Metge, Bartomeu Sirvent, etc.

d) a partir de la segona meitat del segle xv: etapa de desedificació, en la qual intervenen de manera decisiva uns fluixos lingüístics llatinitzadors i castellanitzadors que desnaturalitzen el llenguatge administratiu català.

D'altra banda, convé recordar com el català administratiu s'estengué des del Principat, de primer a les Illes i al País Valencià, després a Sicília (on romangué fins al segle xv), a Sardenya (illa on s'usa fins cap a mitjan segle xvii), a Nàpols (fins cap a la fi del segle xv) i, àdhuc, a Grècia (on es redactaren alguns documents de caire administratiu arran de la dominació catalana els anys 1313-1388).

## VI) Tractats científics

Tot i que hi predomina la redacció en llatí, en disposem força de redactats en català: *Llibre de les medecines particulars* (versió catalana del segle xiv d'un llibre àrab d'Ibn Wàfid de l'XI), *Regiment de preservació de pestilència*, de Jacme d'Agramont (1349); *Tractat d'Astrologia*, de Bartomeu de Tresbéns (c. 1373); *Inventari o collectori en part cirurgical de medicina*, de Guiu Cauliac (1492); *Tractat d'Astrologia o Sciència de les Steles compost baix ordre del Rey Pere III lo Cerimoniós*, de Pere Gilbert i Jacob Corsuno; *Taules astronòmiques*, de Joan Pere (1489); *Llibre del Tresor* (versió catalana del llibre de Brunetto Latini a cura de Guillem Copons 1418; tracta d'història, geografia, astronomia, zoologia...) i diversos tractadets de manescalia o veterinària, de zoologia, de la tècnica del joc dels escacs...

## ELS PRIMERS TEXTOS SOBRE EL CATALÀ

I) La lexicografia (36, 37, 38, 39, 40)

L'objectiu bàsic d'aquests tractats lexicogràfics era l'ensenyament del llatí.

a) El *Comprehensorium*, de Joan Ramon (1475), és el primer diccionari que es preocupa de donar-nos, encara que sigui esporàdicament, alguna equivalència en català («zucarum» (que vulgo) sucre (dicitur)»). Darrerament, Germà Colon afirma amb una notable fermesa que en realitat és una obra sobre la llengua occitana, tot i que és publicada a València.

b) El *Liber elegantiarum*, de Joan Esteve (enllestit l'any 1472 i publicat l'any 1489), és el primer diccionari pròpiament lexicogràfic del català i un dels més antics de les llengües romàniques. És força extens, però de consulta difícil, poc didàctic i desequilibrat. Hi trobem les primeres documentacions dels mots *coet, espaiar, floridura, perseverància...*

c) No podem deixar de parlar aquí del *Llibre de Concordances*, de Jaume March, escrit el 1371. En realitat no és un diccionari, sinó un recull de mots relacionats formalment (diccionari de rimes), amb la intenció d'ajudar el poeta a elaborar la seva poesia.

d) També el *Torcimany* de Lluís d'Averçó porta al final un diccionari de rimes de l'estil del de Jaume March.

## II) El purisme

Les primeres regles de puresa lingüística que trobem en català són les *Regles d'esquivar vocables o mots grossers o pagesívols* escrites el 1487 pel poeta Bernat Fenollar i pel canonge barceloní Jeroni Pau. Es tracta d'un document força valuós per tal com ens permet de comprovar l'existència ja aleshores de formes dialectals, d'un nivell de llenguatge culte allunyat en certs casos del nivell del llenguatge popular, etc. L'estructura del text, paral·lela a la de l'*Appendix Probi* de què hem parlat al primer capítol, és la següent: els autors donen la paraula que jutgen dolenta (de vegades perquè la consideren una deformació vulgar de la més antiga i etimològica —*cabre, langoniça, anem,* etc.—, de vegades perquè la consideren excessivament arcaïtzant, etc.) amb l'equivalència bona corresponent al costat:

DOLENT
cabre
langoniça (llan-)
hom
ayguo
anem

BO
caber

longaniça (llon-)
home
aygua
anam

Les *Regles d'esquivar vocables...* s'escriuen en un context que convé destacar: a l'acabament del segle XV es produeix una crisi lingüística en el si de la comunitat de llengües romàniques. L'humanisme (tret definitori de l'època) provoca un reviscolament i un enfortiment del llatí. Però, alhora, les llengües romàniques, tot maldant per aconseguir d'arribar a un definitiu estat de maduresa, arriben a disposar de notables gramàtiques, diccionaris, etc. L'intent que per al català suposà la redacció de les *Regles d'esquivar vocables...* quedarà escapçat per una reacció antinormativista (*La brama dels llauradors de l'Horta de València contra lo venerable mossén Bernat Fenollar...* (41) de Jaume Gassull —1490—, valuós recull lèxic amb una crida a la despreocupació normativa). En d'altres casos (el castellà, l'italià,...), la iniciativa empresa en aquest sentit aconseguirà de reeixir.

III) Gramàtica llatina amb les correspondències en català

Vet aquí una gran tradició desenvolupada especialment a partir del segle XVI amb les versions al català de les obres de Nebrija i d'Erasme (vegeu aquest mateix apartat del capítol Vè), però que té ja un antecedent important del segle XV: la gramàtica llatina de B. Mates (1468?).

# CAPÍTOL V

# SEGLES XVI I XVII. EL PRIMER DECANDIMENT

# EL PRIMER DECANDIMENT (42, 43, 44 i 46)

Després que la llengua catalana assolís, al voltant
del segle XIII, la seva maduresa com a llengua de
cultura, pràcticament dos segles transcorregueren
en què mantingué i desenvolupà aquesta condició.
Hem vist que s'afermà notablement en l'àmbit de
la literatura culta, que s'introduí amb seguretat en
el món de l'administració i en el de la ciència, tot
i que en aquests dos últims casos en confluència amb
el llatí com a poderós rival, etc. A la fi del segle xv,
potser d'ençà de la seva segona meitat, hom pot co-
mençar a descobrir certs trets que denoten un de-
candiment, que, en tot cas, no va afectar a fons la
literatura culta fins a l'inici del segle següent. Diver-
ses causes, que tot seguit esmentarem, provocaren
l'encetament d'una recessió qualitativa i quantita-
tiva de l'ús del català. Des de l'ús escrit a l'ús oral,
malgrat que sempre era un decandiment molt més
intens en el sector de l'ús escrit de la llengua, car
l'ús del català com a llengua parlada, llevat d'uns
determinats ambients aristocràtics, continuarà bàsi-
cament estable i persistirà, fins després d'aquest
període de decandiment i de fet fins avui, sense in-
terrupcions.

# LES CAUSES (42, 45, 46 i 47)

Diversos factors intervingueren com a causes del
decandiment que visqué l'ús del català al llarg dels

segles XVI i XVII, els quals, al seu torn, són de menes ben diferents:

A) Factors polítics

1) Al Compromís de Casp (1412), extingida la dinastia catalana, es decideix que el successor al tron sigui Ferran d'Antequera; s'incorpora, doncs, al tron català una dinastia castellana, la dels Trastàmara.

2) Guerra contra Joan II a Catalunya (1462-72) i Menorca (1463-72).

3) Guerra de Ferran el Catòlic contra els Remences de Catalunya (1483-86).

4) Unió dinàstica amb Castella (1479).

5) Els Àustries: a) En el regnat de Carles I (1516-56) es produeix la Guerra de les Germanies al País Valencià (1519-23). Fou una revolució social de la petita burgesia i de la pagesia lliure contra la noblesa terratinent, l'aristocràcia urbana i la pagesia de fur senyorial. Derrotats els Agermanats, totes les classes populars sofreixen una forta repressió econòmica, social i política.

b) Amb Felip I (II de Castella) (1556-98) s'inicia un període de fort centralisme amb voluntat imperialista (seguint la famosa frase de Nebrija: «siempre la lengua fué compañera del imperio»). A partir del 1568, els virreis i màximes autoritats als Països Catalans són d'origen castellà.

c) Felip II (III de Castella) (1598-1621): expulsió dels moriscos (1609). Al País Valencià representà una pèrdua d'un terç de la població i l'esfondrament de l'economia, no només agrària, sinó també industrial i financera, que provocarà la crida, per part dels senyors de Tàrbena, d'un seguit de famílies mallorquines per a repoblar territoris molt afectats per l'expulsió.

d) Felip III (IV de Castella) (1621-1665): Guerra dels Segadors (1640-59). La Guerra dels Segadors és la guerra de Catalunya contra el comte-duc d'Olivares i el centralisme polític existent. Hi havia també un malestar de la pagesia contra el règim senyorial i de la petita burgesia per les fortes pressions fiscals que frenaven l'economia i només beneficiaven la monarquia i la noblesa local. La Guerra acaba amb la derrota de Catalunya i la cessió a l'Estat francès d'una part de Catalunya (la Catalunya Nord —Rosselló, Conflent, Vallespir i Alta Cerdanya—).

e) Durant el regnat de Carles II (1665-1700) es produeix una represa econòmica catalana parallela a la general europea.

B) Factors culturals

1) La Cort de Maria de Castella, esposa d'Alfons el Magnínim —rei que visqué molt de temps lluny de les terres catalanes (1420-23 i 1432-58)—, esdevingué un primer focus, moderat (la reina, per exemple, sabia llegir en català, tot i que s'expressava normalment en llengua castellana), de castellanització dels cercles culturals que l'envoltaven.

2) La Cort de Germana de Foix a València (1523-37) comportà un notable focus de castellanització del món cultural cortesà, inclosos els escriptors. La virreina imità l'ambient de les corts italianes del Renaixement, reuní escriptors i músics, fomentà les representacions teatrals, patrocinà la confecció de cançoners poètics, etc. Però tot en llengua castellana, mentre que la catalana era considerada pejorativament.

3) La imprempta: el fet que els llibres hagin de menester un mercat com més gran millor fa que, a poc a poc, hom prefereixi de publicar llibres en

llatí i, encara que no amb tanta intensitat, en castellà.

4) L'Humanisme té, com la impremta, una voluntat universalista i es recolza de manera directa en la utilització de la llengua llatina. Els fonaments de la ciència europea moderna seran escrits essencialment en llengua llatina.

5) El *Siglo de Oro* castellà esdevé un model, no sols estilístic, sinó, a vegades, també lingüístic per als autors catalans. Joan Boscà, poeta renaixentista que introduí les formes, els gèneres i els temes italians a la Península, escriu sempre en castellà (només se'n conserva un poema en català).

Durant el *Siglo de Oro* (que coincideix amb els dos primers segles de la Decadència catalana), penetraren molts castellanismes en la llengua literària («desditxa», «desditxat» —s. XVI—).

C) Factors demogràfics

1) Les terres catalanes havien sofert, per raó de les guerres i de les epidèmies, una notable minva de població, que és compensada sovint amb immigració castellana, a partir del 1500.

2) Al País Valencià la immigració s'intensifica en funció de la guerra de les Germanies i de l'expulsió dels moriscos, fet aquest darrer que també afectarà notablement les Illes.

## PROCÉS DE LLATINITZACIÓ (48 i 50)

Ja d'ençà de la segona meitat del segle XV la llatinització es comprova en l'aparició d'un seguit de nous cultismes (tractaments com és ara *excellentíssim*, paraules com *colliri, efeminat, matrona,* etc.).

L'Humanisme, que té com a instrument bàsic de

treball el llatí, pren una gran força als Països Catalans i contribueix de manera decisiva al col·lapse de l'ús culte del català.

L'ensenyament universitari va continuar essent a través del llatí, i les persones de classe mitjana i alta, els religiosos i els intel·lectuals coneixien el llatí, i llurs descendents (fills dels estaments alt i mitjà, seminaristes, universitaris) l'aprenien i l'usaven en àmbits cultes.

L'entusiasme pel llatí arribà també al teatre i aquesta llengua s'hi féu servir al llarg del segle XVI a tot Europa i també a les terres catalanes (especialment en àmbits universitaris).

En les predicacions, l'altra gran font d'influència directa i oral sobre el poble, també s'utilitzava sovint el llatí al costat del català. Més tard, s'establirà una lluita entre el català i el castellà, amb la victòria, cap a la fi del segle XVI, del castellà.

Al darrer terç del segle XVI comença a minvar l'ús del llatí, i el castellà comença a esdevenir normal en la literatura culta autòctona. Tot i així, el llatí es mantenia ferm a la Universitat, on tenim notícia que persistia àdhuc quan a d'altres països d'Europa ja s'hi estenia la llengua del poble. El llatí funcionava com a suport i mitjà de comunicació i de prestigi d'un món a part: el de l'alta ciència.

Pel que fa a l'Església, a partir del Concili de Trento (a mitjan segle XVI), s'hi assaja una extensió de les llengües vulgars en la predicació i en la catequesi: la predicació en vulgar es consolida ràpidament (amb la lluita esmentada entre català i castellà), el catecisme en català apareix ja el 1568 a Barcelona, n'hi ha també de l'any 1579, 1591, etc., i el 1636 el trobem ja a Mallorca, l'ensenyament de la doctrina religiosa en català s'encetarà amb l'acabament del segle XVII.

Posteriorment, amb la Il·lustració, el llatí continuarà essent usat correctament per les classes intel·lectuals, les quals, tot i així, prefereixen l'ús del castellà (Mayans, Capmany...). En realitat, la «jubilació» del llatí com a llengua de cultura es produirà durant el 700, fet que és vinculable al triomf de la burgesia i a la relativa desfeta de l'aristocràcia.

## PROCÉS DE CASTELLANITZACIÓ
(47, 48, 50 i 51)

La castellanització dels Països Catalans durant el segle XVI es produeix fonamentalment en el sentit de familiarització dels catalanoparlants amb el castellà.

El primer sector que es castellanitza és l'aristocràcia (com es reflecteix a «El Cortesano» —1561— de Lluís del Milà) i el dels escriptors, que a mitjan segle XVI ja eren, en la seva major part, aptes per a la redacció en català i en castellà de les seves obres, amb un predomini, a mesura que el temps avançava, de l'ús del castellà.

La desaparició de la cort reial de les terres catalanes fou un factor de molta importància en el procés de castellanització. En primer lloc, la Cancelleria Reial va deixar d'actuar-hi com a element unificador de la llengua i agrupador d'homes de tots els estaments amb vocació literària. En segon lloc, l'aristocràcia, d'on havien sortit molts escriptors, va darrera la cort reial i enllaça amb famílies castellanes. A més, els virreis no eren gairebé mai catalans. Per això, tant la cort del rei com la dels virreis esdevenen focus castellanitzadors.

L'aristocràcia es castellanitzà molt aviat al País Valencià. Després de guanyar les guerres de les Germanies amb l'ajut militar del rei, els aristòcrates van adoptar la llengua castellana per distingir-se dels agermanats, tot i que tenim indicis d'una castella-nització encara més primerenca.

El català, però, es mantingué com a llengua oficial fins al segle XVIII.

Al segle XVII, quan la gran influència llatinitzant comença a minvar, el castellà es converteix, declaradament, en la llengua rival.

La literatura catalana, com veurem, queda, al segle XVII, reclosa en manifestacions esporàdiques i marginals, llevat de casos escadussers.

Quant al teatre i als sermons, els quals, com hem dit abans, són manifestacions orals que tenien una repercussió vital en els ciutadans comuns, d'una banda hem d'acceptar que no disposem de textos dramàtics en català de l'època i que el castellà dominava els escenaris, tant al segle XVI com, especialment, al segle XVII (amb les companyies nòmades de comediants), llevat del teatre tradicional religiós —els «milacres», els misteris, les passions, etc.—; de l'altra, els sermons, malgrat que necessitaren d'un primer període d'avesament per part dels catalano-parlants a escoltar i entendre el castellà, cap a la fi del segle XVI ja eren, sobretot a València, gairebé únicament en castellà, amb l'excepció d'algunes ocasions especials.

També la cançó ajudarà la penetració del castellà, per raó de la gran popularitat que tenia el castellà en aquest àmbit.


PROCÉS DE FRANCESITZACIÓ DE
LA CATALUNYA NORD (52, 53 i 54)

D'antuvi, cal dir que a la Catalunya Nord hi ha, abans de la seva incorporació a l'Estat francès, la mateixa situació de castellanització estesa per les altres terres catalanes. Així, són castellanismes del rossellonès documentats prèviament a l'any 1659, entre d'altres: *antes* (documentat a la Catalunya Nord l'any 1591), *ciego* (a la Catalunya Nord l'any 1587), *menos* i derivats (a la Catalunya Nord l'any 1628), *puesto* (l'any 1597), etc.

En acabat de la Guerra dels Segadors, després de la desfeta dels catalans, i un cop signat el Tractat dels Pirineus (1659), que atorgava la Catalunya Nord (Alta Cerdanya, Vallespir, Conflent i Rosselló) a l'Estat francès, s'hi inicia un procés de repressió del català: el 1662 s'hi funda un col·legi de jesuïtes, on s'ensenya el francès; el 1673, hom prohibeix als rossellonesos d'anar a estudiar al Principat; el 1682 s'hi fa obligatori el francès per a l'accés als càrrecs judicials; s'hi ordena, a través de diversos edictes (1695-98), la creació d'escoles franceses a les parròquies; l'any 1700, per raó que el català continuava essent-hi la llengua de l'administració, és foragitat d'aquest àmbit i substituït pel francès, sota pena d'invalidesa i perquè es considerava que la permanència del català com a llengua de l'administració era contrària a l'autoritat i a l'honor de l'Estat francès...

A partir de l'annexió del Rosselló a França s'introdueixen progressivament en el rossellonès gran quantitat de francesismes: *canart* «ànec», *façada* «façana», *muleta* «truita», *d'abord* «en primer lloc», *presque* «quasi», etc. A part de l'existència d'occitanismes, alguns ben antics, fruit d'una situació lingüística fronterera: *peirer* «paleta», *veire* «got», *belleu* «potser», etc.

## EL CAS DE L'ALGUER (54)

Com ja hem vist abans (cap. II), l'any 1354, un any després de la conquesta de Sardenya per Pere el Cerimoniós, els habitants de la vila rebel de l'Alguer són substituïts per pobladors de nissaga catalana.

A partir de mitjan segle XVII, el castellà esdevé llengua oficial a l'illa, on serà reemplaçat en aquest ús per l'italià l'any 1764.

El català s'ha mantingut a l'Alguer fins avui. Per la seva situació en un angle de l'illa de Sardenya i per raó d'haver format part de l'administració castellana, primer, i després italiana, posseeix elements de les tres llengües: del sard (*anca* «cama», *frucar* «nevar», *murendu* «ase», etc.), del castellà (*judia* «mongeta», *feu* «lleig», etc.) i de l'italià (*autista* «xofer», *esvilupo* «desenvolupament», *indiriz* «adreça», etc.).

# UNITAT I DEFENSA DE LA LLENGUA CATALANA (55, 56, 57, 58)

1) Amb el decandiment de l'ús del català es produeixen els primers intents de separació del País Valencià i a les Illes.

Al País Valencià, això, que ja s'insinuava per Antoni Canals l'any 1395 en utilitzar l'expressió «llengua valenciana» i que es repetia al *Tirant lo Blanc*, a J. Roís de Corella i a d'altres (mentre que contemporàniament parlen de «llengua catalana», referint-se a València, Ferran d'Antequera, Enric de Villena i sant Vicent Ferrer, entre d'altres, i, a més, els llibres escrits en *valencià* eren llegits sense cap mena de modificació al Principat), pren consistència amb Rafael Martí de Viciana (1502-74), el qual oposa llemosí i valencià, essent per a ell el llemosí el català literari medieval (aquesta confusió prové del notable ascendent que a l'Edat Mitjana té l'occità sobre el català; un dels parlars de l'occità, distingit literàriament, és al Llemosí, regió del nord-oest d'Occitània,

95

que té la seva capital a Llemotges) i el valencià la llengua parlada al País Valencià el segle xvi. Més tard, Gaspar Escolano (1560-1619) marcarà unes curioses diferències entre «català» i «valencià» en la seva obra *Década primera*... (1610):

«... *en limar i perfeccionar la propia* (llengua) *se han dado* (els valencians) *tan buena maña que con ser la mesma que la catalana, se ha quedado ésta en montaraz y malsonante, y la valenciana ha passado a cortesana y gentil*».

A les Illes, Ferran Valentí presenta la seva traducció al català de la *Paradoxa* de Ciceró (segle xvi) com si fos feta del llatí al vulgar matern o mallorquí. Tanmateix, no tornem a trobar testimonis diversificadors d'aquesta mena fins a Miquel Ferrando, l'any 1633.

2) També al llarg dels segles xvi i xvii sorgeixen, davant el procés de substitució lingüística del català pel castellà que es desencadena aleshores als Països Catalans, una sèrie de veus que, amb més o menys convicció, defensen el català. Els autors comencen a donar explicacions i justificacions pel fet d'escollir una de les dues llengües; així, Narcís Peralta, en el seu *Memorial*, publicat el 1620, explica que de primer l'havia escrit en català, però:

«... *mandáronme personas a quien debo respeto y obediencia lo traduxese... por no ser nuestra lengua entendida fuera de los límites de este principado.*»

Els autors que mantenen l'ús del català també es creuen obligats a donar explicacions. Pere Gil, en la traducció del *Kempis*, de 1621, ens dóna un bon testimoni de la difícil comprensió de la llengua castellana per part del poble català:

«Alguns per ventura judicaran que en aquest temps no era necessari imprimir-se lo present llibre en esta llengua, puis la castellana, dita ja espanyola, és casi universalment entesa. Però com se veja i toque ab les mans que, exceptuades algunes poques ciutats, com són Barcelona, Tarragona, Gerona, Tortosa i Lleida, i algunes poques viles, com Perpinyà, Vilafranca del Penedès, Cervera, Tàrrega, Fraga, Montsó i semblants, que estan en camins reals, en les altres demés ciutats, viles i llocs no és ben entesa la llengua castellana de la gent comuna, i ningunes dones la usen, ans bé la llengua catalana entra algunes llegües dins el Regne d'Aragó i de França, i és parlada casi en tot lo regne de València, i en les illes de Mallorca, Menorca, Ivissa i en part de Sardenya, per çò me ha paregut ser de glòria de Déu vertir est llibre en les paraules més planes i comunes de la llengua catalana per a que tota mena de gent puga d'ell aprofitar-se.»

Les defenses i apologies de la llengua catalana prenen de vegades un to de «compensacions consoladores». La recessió de l'ús del català és compensada a nivell sentimental amb un seguit de lloances que hom hi dedica. Aquest és el cas del valencià Pere Antoni Beuter, que, després d'explicar que ha adaptat la seva *Historia de Valencia* (1535) al castellà perquè l'entenguin a tot Espanya, diu:

«... *que no se le hace a la lengua valenciana perjuicio en ello ni pierde por ello el ser habla polida, dulce y muy linda, que con su brevedad moderada exprime los secretos y profundos conceptos del alma, y despierta el ingenio a vivos primores, de donde resulta un muy esclarecido lustre.*»

El mateix fan Martí de Viciana i Gaspar Escolano.

D'altres vegades, però, la defensa és molt més ferma i, àdhuc, va acompanyada d'edicions de textos literaris catalans clàssics, com és ara el cas del valencià Onofre Almudéver, que intenta convèncer els escriptors perquè utilitzin la seva llengua:

«Per on vos exhorte, amoneste i tant quant puc encarregue, que torneu sobre vosaltres, i respongau per la vostra honra en no deixar perdre les obres de tan cèlebres autors, sinó que, renovant-les, mostrem a les nacions estranyes la capacitat de les persones, la facúndia de la llengua i les coses altres que en ella estan escrites... Quant més, que fent açò que dit tinc, llevareu un engany que està demasiadament estès, en què s'han persuadit molts ignorants, que és falta de vocables o freda en si, com sia veritat que és molt abundant i faceta.»

Al Principat, hom pot descobrir-hi una mena semblant de reacció, que troba potser el seu exponent més notable en Cristòfor Despuig, l'autor de *Los colloquis de la insigne ciutat de Tortosa* (1557), on hom pot llegir la denúncia que Despuig fa de «l'escàndol que yo prench en veurer que per a vuy tan absolutament s'abrasa la llengua castellana, fins a dins Barcelona, per los principals Señors i altres Cavallers de Cathaluña, recordant-me que en altre temps no donaven lloch a da aquest abús los magnànims Reis d'Aragó».

Durant el segle XVII es manté l'existència d'aquest seguit de textos en defensa de la llengua; així, Marc Antoni Ortí (1593-1661) és continuador de l'esperit de fermesa que descobríem en Almudéver. Entre d'altres coses, comenta críticament «la molta abundància que hi ha de subjectes que els pareix que tota la seva autoritat consisteix en parlar en castellà».

Pel que fa al Principat, coneixem, entre d'altres,

el *Memorial en defensa de la lengua catalana, para que se predique en ella en Cataluña*, de D. Cisteller (1636), una de les peces d'un cadena prou llarga de «memorials» a favor i en contra del català (el «memorial» de D. Cisteller, posem per cas, segueix el del bisbe de Tortosa i el de Gómez Adrin, i precedeix el del bisbe de Tarragona), que formen part d'una violenta polèmica on apareixeran exemples notables de reivindicació de normalitat lingüística del català en l'Església —com és ara el de l'arxiprest Francesc Broquetes i el del bisbe de Solsona.

A les Illes Balears, cap a l'acabament del segle XVII, mossèn Cristòfol Fiol es justifica d'haver fet en català el llibret *Cerimònias que deu observar el sacerdot en la celebració de la missa resade...* per tal com considera que ha d'estar al mateix nivell que la castellana, la francesa, la italiana i d'altres.


## L'ÚS LITERARI (46, 47, 49 i 50)

A) Segle XVI (Renaixement)

1) Principat de Catalunya

   a) obres d'influència d'Ausiàs March

● Pere Serafí (1505/10-1567). Una de les seves composicions, el *Cant d'amor*, és una glossa de la poesia d'Ausiàs March «Lo viscaí qui.s troba.n Alemanya».

● Joan Pujol, en la seva *Visió en somni*, explica que una nit se li apareix Ausiàs March i li diu que ningú no entén la seva poesia. Pujol insisteix en l'obscuritat dels poemes de March.

99

b) obres que pertanyen als corrents de renovació religiosa (*Devotio Moderna* i erasmisme)

● *Spill de la vida religiosa* o *Desitjós* (1515) de Miquel Comalada, en el qual es nota la influència del *Blanquerna* de Llull.

c) diàlegs (gènere típic de l'erasmisme, d'imitació clàssica)

● Cristòfor Despuig (1510-1580), autor de *Los colloquis de la insigne ciutat de Tortosa*, obra en forma dialogada, on intenta explicar la història de Tortosa i on tracta també de «vàries històries i moltes d'elles en llaor de la Corona d'Aragó i singularment de la Nació Cathalana dignes de memòria i agradables d'ohir».

2) País Valencià

a) poesia popularitzant
● Joan Timoneda (1510/15-1583), aplegador del cançoner *Flor d'enamorats*, potser allò literàriament més valuós del segle XVI valencià, conjunt de glosses de cançons populars.

b) obres que pertanyen als corrents de renovació religiosa
● la versió catalana de la *Imitació de Jesucrist* de Tomàs de Kempis (fi del segle XV) a cura de Miquel Pérez, amb el títol de *Menyspreu del món*.
● la versió catalana del *Llibre de Job* (1559) a cura de Jeroni Conques, que, a causa de les prohibicions de la Inquisició, no va poder ésser publicada. (Recordem aquí la defensa que l'humanista valencià Furió Ceriol fa l'any 1556 de la traducció de la Bíblia en llengües vulgars).

c) poesia satírica (continuació de l'estil de Jaume Roig)

● Gaspar Guerau de Montmajor, autor de la *Breu descripció dels mestres de València...* (1586).

d) literatura esteticista (continuació de l'estil de Joan Roís de Corella)

● Joan Baptista Anyes (1480-1553).

e) prosa hagiogràfica

● Miquel Pérez, que escriu *La vida de sant Vicent Ferrer* (1510).

f) teatre

● Lluís del Milà (c. 1500-post. 1561): *El Cortesano*. És una obra en vers, escrita en forma dialogada i bilingüe, on descriu l'ambient de la cort de Germana de Foix. Una mostra clara del realisme valencià de l'època.

● Joan Fernández de Heredia (1480-1549), a la seva obra *La Vesita*, empra també el castellà i el català, com a reflex de l'esmentada situació lingüística cortesana.

3) Illes Balears

● En aquest segle, destaca, quant a la poesia, el Certamen celebrat el 15 de maig de l'any 1502 en lloança de Ramon Llull; entre els poetes que hi van participar cal destacar Jordi Miquel Albert, autor d'una *Obra en llaor del doctor illuminat mestre Ramon Llull mallorquí*; Benet Español; Antoni Masot; etc.

● Jaume d'Oleza, que escriu *Obra en rims strams de trenta-tres cobles per los XXXIII anys de Jhu.*

● Francesc d'Oleza (que mor l'any 1550), fill de Jaume d'Oleza, autor de *La nova art de trobar, Obra del menyspreu del món*, etc. *La nova art de trobar* és l'única preceptiva del període i no és més que un resum dels preceptes de la tradició trobadoresca.

B)  Segle XVII (Barroc)

1)  Principat de Catalunya

   a)  culteranisme
   ● Francesc Vicenç Garcia, «el rector de Vallfogona», (1579/82-1623) és el màxim representant de l'Escola Poètica Castellana d'imitació del barroc castellà, amb hipèrbatons, metàfores, abús de l'element mitològic i tendència als temes satírics i grollers. La primera edició de l'obra de Vicenç Garcia fou feta per l'Acadèmia de los Desconfiados (antecessora de la Real Academia de Buenas Letras de Barcelona) amb el títol *Harmonia del Parnàs* (c. 1700).
   ● Francesc Fontanella (c. 1615-1680/85), que participà decididament en la revolta de 1640, és autor d'un panegíric a la mort de Pau Claris, dels poemes *Desengany del món, Llàgrimes d'una ànima rendida als peus del seu Redemptor, Fúnebre obsequi a una eclipsada bellesa*,..., i de les obres teatrals *Amor, firmesa i porfia* (dins la qual enclou una *Lloa* en què defensa l'ús del català com a llengua literària) i *Lo desengany*.

   b)  conceptisme
   ● Josep Romaguera (mor després de 1711) publicà *Ateneo de grandesa sobre eminències cultes* (1681), on intenta, en català, el conceptisme de Baltasar Gracian, i on defensa la seva postura d'escriure en català i es proposa de donar a aquesta llengua l'esplendor i brillantor del barroc castellà.

c) llibres apologètics de Catalunya

● *Llibre dels feits d'armes de Catalunya*, de Joan Gaspar Roig i Jalpí (1624-91), el qual el posà a nom de Bernat Boades, tot afirmant que l'acabà d'escriure el 1420.

d) prosa religiosa

● *Història i miracles de la sagrada imatge de Nostra Senyora de Núria* (1666), de Francesc Marés.

● *Tractat de la Capella* (1637-64), d'Honorat Ciuró, que és una barreja d'obra mística i de novel·la religiosa.

2) País Valencià

a) poesia

● *Cançó*, de Joan Baptista Roig, continguda en *Solemnes y grandiosas fiestas por la beatificación de don Tomás de Villanueva*.

● La peça poètica de més qualitat són les *Trobes* apòcrifes, atribuïdes al cavaller Jaume Febrer i que són obra segurament d'Onofre Esquerdo.

b) prosa

Cal destacar-ne:

● Una *Autobiografia*, de Bernat Català de Valeriola.

c) sermons

● Sembla que els sermons de les grans festivitats populars es feien en català, entre els quals és interessant de destacar *Ramellet del bateig de Sanct Vicent Ferrer* (1667), de Joan Baptista Ballester, amb un pròleg on es fa una apologia de la llengua valenciana.

d) literatura satírica
   ● Francesc Mulet (1624-75) és una mena de paral·lel de Vicenç Garcia.

3) Illes Balears

   ● Rafael Bover, escriptor bilingüe fortament influït de Garcilaso, és autor de *Borratxera*, *Dolorós pensament*..., etc.
   ● Miquel Ferrando de la Càrcer: *Vigilant despertador*, al pròleg del qual lloa la llengua mallorquina.
   ● Antoni de Verí, Pere Ordines, etc.

## L'ÚS ADMINISTRATIU (36)

A partir de Ferran II, la Cort Reial s'allunya dels Països Catalans i és durant el regnat de Carles V que són escrites les darreres lletres reials en català.

Pel que fa a la intensitat de l'ús del català dins l'àmbit administratiu, es manté ben ferma fins a la segona meitat o al darrer terç del segle XVII. Tot i així, els virreis de València, els quals sovint no eren catalans, preferien de fer servir el castellà, desig que, és clar (el castellà, malgrat tot, no era, ni de bon tros, la llengua del país), no sempre podia ser dut a la pràctica. Quant a Xèrica i Sogorb, Sanchis Guarner ens diu que la documentació pública deixa de ser-hi redactada en català ja cap a l'acabament del segle XVI. Es tracta, no cal dir-ho, d'un fet isolat i que, com sabem, correspon a una àrea tradicionalment de parla no catalana. A la zona d'Oriola, el català hi desapareixerà com a llengua oficial pràcticament arran del Decret de Nova Planta.

Insistim, l'ús del català com a llengua d'administració no viurà retrocessos perceptibles fins cap a l'acabament del segle XVII, moment en què comencen a aparèixer documents administratius escrits en castellà a les terres catalanes. Les causes n'eren: a) la presència de funcionaris castellans; b) l'enlluernament que provocava la Cort Reial, i c) la Inquisició, que redactava els seus documents en castellà.

En tot cas, són ben significatius fets com és ara l'aprovació per les Corts Catalanes, l'any 1542, durant el regnat de Carles V, de l'obligatorietat de fer els testaments en català a les terres catalanes. Així mateix, la tendència a la fixació general dels llenguatges administratius afavoreix el manteniment del català en aquest àmbit d'ús.

Tot i així, s'infiltren, dins el llenguatge administratiu català, força llatinismes (*òlim* «en un altre temps», *il·lustríssim*, etc.) i castellanismes (*robo* «robament, robatori», *recibo* «rebut», etc.).

## TRACTATS CIENTÍFICS (60)

L'ús del català hi queda vinculat a les necessitats més pràctiques, al costat d'un còmode domini del llatí.

1) Agricultura

● *Memòria i projecte per regar l'Urgell per medi d'un canal*, de Pere Ripoll d'Anglesola (1616).
● *Llibre dels secrets d'Agricultura, casa Rústica i Pastoril*, de Miquel Agustí (1617), que va ser traduït al castellà.

2) Medicina

a) Llibres sobre la pesta
● *Llibre de la Peste dividit en tres tractats. En doctrina, preservació i curatió d'ella*, per Joan Rafel Moix (1587).

● *Utilíssim, prompte i fàcil remey i memorial per a preservar-se i curar de la peste,* per A. Girault (1587).

● *Compendi de la pesta i de la precaució i curació d'aquella,* per Francesc Terrades (1590).

b) Tractats diversos

● *Examen iudiciari i declaració dimanada del supremo tribunal d'Apollo, a instàncies d'Hipòcrates, Galeno i Avicenna. De i contra l'errada idea del Mestre Pyrrander en favor de l'ús salubre de la purga lenitiva, en lo principi de febre dels vasos, originades o complicades ab corruptela d'aliments,* per Joan Folgarolas (1676).

● *Tractat de com s'han de curar las feridas i colps del cap,* per Joan Binimelis (1538-1616).

3) Manescalia

● *Llibre de menescalia,* de Manuel Dieç (1523).

4) Història natural

● *Llibre primer de la història Cathalana en lo qual se tracta d'Història o descripció natural, ço és de cossas naturals de Cathaluña,* de Pere Gil (1600), que és una bona geografia de Catalunya.

5) Història

● Pere Miquel Carbonell: *Cròniques d'Espanya* (1547).

● Pere Antoni Beuter: *Primera part de la Història de València* (1538). La segona part l'editã en castellà.

● Esteve G. de Bruniquer: *Rúbriques* (1608-99).

● Jeroni Pujades és autor d'una *Crònica univer-*

*sal del Principat de Catalunya* (1609), que tingué gran prestigi en l'època i en la Renaixença.

● Cristòfol Fiol escriu un *Noticiari de sucesos que s'han esperimentad en esta isla de Mallorca desde l'any 1643* (1643-1702).

6) Ciències diverses

● En aquest període, i pel seu caràcter primerenc, destaca especialment l'aritmètica catalana de Ventallol, impresa l'any 1521. Així mateix, convé d'esmentar les *Reglas breus d'Arithmètica...*, de Bernat Vila (1596).

● *Llunari o Repertori dels temps*, per Joan Alemany (1556).

ELS TRACTATS SOBRE LA LLENGUA (37, 52 i 61)

La major part d'aquests tractats, com ja hem dit al capítol anterior, es feien bàsicament en funció de l'aprenentatge del llatí.

A) Diccionaris

1) *Vocabulari molt profitós per aprender lo catalan alamany i l'alamany catalan*, anònim, editat per Joan Rosembach a Barcelona 1502 (va ser editat modernament per Pere Barnils l'any 1916).

2) Edicions catalanes del Diccionari llatí de Nebrija (l'original era sobre el castellà):

a) *Vocabularius Aelii Antonii Nebrissensis*, a cura de Gabriel de Busa (i Joan Garganter), 1507.

b) (geogràfic) a cura de Martí Ivarra (i Joan Morell), 1522.

c) (geogràfic i mèdic) a cura d'Antoni Roca (i Francesc Clusa), 1560.

d) (geogràfic i mèdic) a cura de Pau Costa i mossèn Antoni Astor, 1585.

i e) el mateix que hem vist a d) publicat el 1587.

3) *Vocabulario del Humanista* de l'aragonès Lorenço Palmyreno (València, 1569), el qual, malgrat un predomini del castellà, conté una quantitat important de mots valencians.

4) *Thesaurus puerilis* (València, 1.ª ed. 1575; 2.ª ed. 1580;...) d'Onofre Pou (amb la traducció del llatí als dialectes valencià o meridional —parlar d'on residia l'autor i on s'editava el llibre— i gironí o central —parlar d'on era nadiu l'autor).

5) *Dictionarium seu thesaurus catalano-latinus verborum ac phrasium* (Barcelona, 1.ª ed. 1640; 2.ª ed. 1653;...) de Pere Torra.

6) *Gazophylaceum catalano-latinum* (Barcelona, 1696) de Joan Lacavalleria.

B) Gramàtiques

● Les gramàtiques en català d'aquesta època eren per aprendre llatí (Miquel Ferrer —Lleida, 1572 i 1578 (probablement la primera gramàtica llatina editada en llengua vulgar a la Península Ibèrica)—, Jaume Joan Vives —1645—, ...).

La *Gramàtica catalana breu i clara explicada ab molts exemples* de Llorenç Cendrós (1676) és, de fet, també una gramàtica llatina explicada en català.

● Cal esmentar, a més, les versions de la *Gramática* de Nebrija, amb addicions marginals en català (1505), o tota ella redactada en funció de l'aprenentatge del llatí per a catalanoparlants (1514), i les obres d'aquesta mena que prenien per base els textos gramaticals d'Erasme de Rotterdam —renovador de l'ensenyament del llatí—, començant per l'opuscle gramatical que publicà l'any 1529 a Barcelona Arnau de Sant Joan.

## C) Ortografia

• La primera ortografia catalana de què tenim notícia forma part (pàgines 335-342) d'un tractat que té com a funció essencial servir per a l'ensenyament del llatí: *Fons verborum et phrasium ad iuventutem latinitate imbuendam,* d'Antoni Font (1637).

# CAPÍTOL VI

## SEGLE XVIII.
## EL DECANDIMENT
## PREN UN ALTRE CAIRE

# EL MEDI HISTÒRIC (46, 47, 51 i 63)

## A) Factors polítics

### 1) Guerra de Successió (1705-14)

Es produí entre els partidaris de l'arxiduc Carles i els de Felip d'Anjou, després de morir Carles II; de fet és una guerra que enfronta dues grans dinasties europees, amb la victòria final de la nissaga borbònica (que vivia aleshores un moment dolç) i amb ella de Felip IV (Felip V de Castella).

Els catalans, amb l'ajut dels anglesos, es posaran al costat dels Àustries (recordem aquí la prosperitat econòmica dels catalans durant la darrera etapa dels Àustries en el tron i l'esperit liberal d'aquests en comparació amb el major centralisme dels Borbons), però sortiren derrotats (11 de setembre de 1714).

La conseqüència legislativa de la desfeta fou l'abolició de totes les lleis i institucions dels Països Catalans i el *Decret de Nova Planta*, suport per a una política de caire intensament centralitzador.

El *Decret de Nova Planta* fou promulgat l'any 1707 per al País Valencià, el 1716 per al Principat de Catalunya i el 1717 per a Mallorca i Eivissa.

### 2) La *Representació* de 1760

L'any 1760 podem datar la primera reacció política clara de rebuig del sistema descatalanitzador imposat a les terres catalanes mitjançant el *Decret de Nova Planta*. Es tracta d'un document anomenat

113

*Representació* i que, redactat en nom d'Aragó, el Principat de Catalunya, el País Valencià, Mallorca i Eivissa, era un memorial a través del qual es reivindicaven les llibertats nacionals (una mena de precedent del *Memorial de Greuges* de l'any 1885). La *Representació* fou presentada davant les Corts que Carles III va convocar a mitjan mes de juliol de 1760.

3) La Revolució francesa
L'any 1789 esclata la Revolució francesa, que comporta una modificació dels plantejaments polítics del poder a la Península Ibèrica. El moviment iŀlustrat, fins aleshores en un procés ascendent, s'escapça i deixa el seu lloc a posicions més conservadores, per raó de la por que crea el corrent revolucionari francès.

B) Factors culturals i evolució de l'ús de la llengua

1) El segle XVIII és el segle de la Iŀlustració, corrent de pensament recolzat en la raó humana, que desenvolupà l'esperit crític com a mètode. Però la cultura en llengua catalana en serà una mica lluny, car els àmbits on es feia servir habitualment el català —en la literatura, els més populars— es mantindran a bastança fidels al Barroc. Recordem, en tot cas, la creació de les *Societats Econòmiques d'Amics del País* a les terres catalanes: *del País Valencià* (València, 1776); *d'Amics del Bé Públic* (després *d'Amics del País d'Urgell*) (Tàrrega, 1776-77); la *Mallorquina* és de 1778; la *de Puigcerdà* (1781); la *de Tarragona* (1787);...

2) S'estén pertot un fort corrent d'imitació de les coses franceses.

3) S'inicia un violent procés de repressió de la cultura catalana, del qual parlarem tot seguit.

# LA PERSECUCIÓ DE LA LLENGUA
# I DE LA CULTURA CATALANES (51)

La derrota de la Guerra de Successió i l'aplicació
conseqüent del Decret de Nova Planta comportaren
una persecució força general de la cultura catalana.

Podem fer notar sis símptomes que demostren
la realitat d'aquesta persecució:

a) la consideració del castellà com a única llen-
gua oficial (a partir de 1714), fet, però, matisable a
la pràctica, com veurem després.

b) el tancament de totes les Universitats de Ca-
talunya (Lleida, Barcelona, Girona, Tarragona, Tor-
tosa i Vic) i la creació (l'any 1715 començà a fer
cursos, l'any 1717 es decretà la construcció de l'edi-
fici corresponent) de la Universitat de Cervera (ciu-
tat suposadament fidel a Felip IV), fundada amb la
perspectiva centralista i castellanitzadora, però que
mantingué en un curt període de temps inicial en-
senyament i llibres de text en català.

c) prohibició, per part dels Borbons, d'imprimir
pronòstics, romanços de cec, etc. en català.

d) *Pragmàtica* de Carles III instaurant l'obliga-
torietat que l'ensenyament es fes en castellà (1768),
que escapça la tradició de les escoles primàries ca-
talanes de caràcter parroquial, ben ferma fins en
aquell moment.

e) prohibició de representacions teatrals que no
siguin en castellà (1799).

f) imposició de càstigs als infants que parlaven
el català a l'escola (1837).

Tot i així, la resistència a nivell parlat és evident.
El català serà al llarg de tot el segle XVIII la llengua
única d'una gran part de la població.

També l'Església romandrà bastant fidel al català
(llevat, és clar, la part del ritual exclusiva del llatí).

La predicació en català avança en lloc de retrocedir, ja que hi predomina el criteri de l'eficàcia.

La fidelitat del poble a la llengua és un fet fonamental per poder comprendre la vitalitat del català fins als nostres dies.

D'altra banda, i malgrat l'obligatorietat de fer l'ensenyament en castellà des de 1768, tenim notícies de l'ús del català a l'escola (en coexistència sobretot amb el castellà —posem per cas l'experiència de bilingüisme portada a terme, amb publicació de textos també bilingües, a les deu escoles primàries creades pel bisbe Climent de Barcelona l'any 1767— i també amb el llatí) fins a la fi del segle XVIII. De fet, el català desapareix de manera absoluta de l'escola primària només cap a l'any 1858 (després de la Llei Moyano —1857—, que declarava obligatori l'ensenyament primari). L'ensenyament secundari, ja d'ençà del darrer terç del segle XVIII, es comença a fer en llengua castellana (l'any 1764), la Reial Acadèmia de Ciències estableix en el seu reglament com a obligatori l'ús del castellà).

A la Catalunya Nord, el 1738, el Conseil Souverain francès interdeix als eclesiàstics que escriguin les actes de l'estat civil en català. Amb la Revolució francesa s'imposa a l'Estat francès la unificació lingüística a l'escola (1792), amb la voluntat de fer renunciar a la seva llengua els ciutadans francesos de llengua no francesa.

## MENORCA, UN CAS ESPECIAL (67)

Menorca no queda afectada pel Decret de Nova Planta, car, en acabar la Guerra de Successió, continua, per raó del Tractat d'Utrecht (1713), en mans dels anglesos, els quals l'havien ocupada ja durant l'esmentada guerra (1708). Els anglesos dominaren l'illa des de l'any 1708 al 1756, del 1763 al 1782 i del 1798 al 1802, amb uns intervals de dominació francesa (1756-63) i castellana (1782-98).

Els anglesos no persegueixen la cultura catalana, que té un bon moment gràcies, entre d'altres circumstàncies, a la creació de la Societat de Cultura de Maó, on acomplí un paper fonamental l'advocat i historiador Joan Ramis i Ramis.

Menorca, dominada pels anglesos, i la Catalunya Nord, sota el poder francès, esdevenen nuclis il·lustrats, en contrast amb el barroquisme i el popularisme característics de la literatura en llengua catalana, desenvolupada coetàniament a la resta dels Països Catalans, sota el domini espanyol.

## UNITAT I DEFENSA DE LA LLENGUA
(56, 58, 64 i 66)

A) Pel que fa a l'escissió de la denominació de la llengua, es consolida la tendència que en aquest sentit s'insinua ja des de l'acabament del segle xiv i comença a prendre cos durant el segle xvi. Els noms de llengua «valenciana», «mallorquina» o «menorquina» arrelen completament fins i tot en els erudits i estudiosos. Malgrat això, existeix encara una certa consciència d'unitat lingüística quan es parla de la llengua *llemosina*. El valencià Agustí Sales diu:

*«... esta lengua lemosina era la cortesana que en Aragón, Valencia y Cataluña hablaban los reyes... disintiendo sólo estos dominios en alguna variedad en la pronunciación y tal cual adopción de voces originarias.»*

I a les Illes, Antoni Febrer i Cardona, en el prefaci dels seus *Principis de lectura menorquina*, diu:

117

«Jo he intitulad aquesta obra: *Principis generals de la Llengua Menorquina* no perquè consideri que aquesta llengua deguie el seu origen a Menorca sabent molt bé que aquesta illa fonc fundada de Valencians, Catalans, etc., els quals ei portaren la seua llengua, que és la matexa que nosaltres usam, i antigament s'anomenava Llemosina...»

Encara, el sentiment d'escissió lingüística no es troba en documents del Principat. Fra Agustí Eura, per exemple, en la *Controvèrsia sobre la perfecció de l'Idioma Català*, diu:

«És conclusió indubitable que floreix l'Idioma Català en tot lo Principat de Catalunya i en lo Reine de València, en los Reines de Mallorca i Menorca, en los Comtats de Rosselló i Cerdanya i per la part encara que són dominats de la França, en l'isla d'Ivissa i en partida del Regne de Sardenya i en el Regne d'Aragó.»

B) Quant a les defenses de la llengua, sovintegen pertot; els casos potser més significatius són:

a) al Principat, Antoni Bastero i Lledó (1675-1737), notable i prestigiós erudit, que escriu una *Historia de la lengua catalana*, on enceta una nova tendència lingüística que consisteix a identificar el català i el provençal com a llengua única, que anomena llengua *romana*. Bastero és el precursor a Catalunya dels estudis provençalistes realitzats els segles XVIII i XIX.

b) al País Valencià, Carles Ros (1703-73), autor dels textos *Epítome del origen y grandezas del idioma valenciano* i de *Cualidades y blasones de la lengua valenciana*. Ros és un ferm partidari de la llengua «valenciana», la qual, segons ell, és la varietat més perfecta de la llengua llemosina.

c) a les Illes Balears, Bonaventura Serra i Ferragut (1728-84), que escriu una defensa de la llengua a l'interior de les seves *Recreaciones eruditas* i una altra, amb el títol de *Lengua particular,* dins el *Breve compendio de las cosas més notables del Reyno de Mallorca.*

d) D'altres defenses:

1) Agustí Eura i Martró (1680-1763): *Controvèrsia sobre la perfecció de l'Idioma Català.*

2) Baldiri Rexach (1703-81): *Instruccions per l'ensenyança de minyons* (1749). És un llibre de tema pedagògic (on es fa ressò del mètode pedagògic de Port-Royal) que proclama la conveniència de l'ensenyament en llengua materna i alhora fa una defensa i apologia de la llengua catalana.

3) Ignasi Ferreres (fi de segle) és autor d'una *Apologia de l'idioma català vindicant-lo de les impostures d'alguns estrangers que l'acusen d'aspre, incult i escàs,* que va ser inspirada en la *Controvèrsia...* d'Agustí Eura i llegida a la tertúlia «Comunicació Literària».

4) Francesc de Tudó: *Sobre la llengua catalana* (1792). Es tracta del seu discurs d'ingrés a la Reial Acadèmia de Bones Lletres de Barcelona, la qual, sobretot en la seva tercera etapa, que correspon precisament al nom actual —recordem: 1700-03 Academia de los Desconfiados; 1729-52 Acadèmia sense nom; a partir de 1752 Real Academia de Buenas Letras de Barcelona—, s'interessà força per la llengua catalana.

5) Pere Salses i Trilla: *Pròleg* del seu *Promptuari moral-sagrat i catecisme pastoral* (1754).

6) Francesc Cors: *Pròleg* a la *Vida i miracles de Sant Bernat de Palermo,* de fra Jaume Aixelà (1757), on podem llegir la coneguda frase: «No comprenc com sent tan connatural l'amor a la pàtria,

puga ésser tan universal al pàtrio català idioma lo desafecte.»

7) Lluís Galiana (1740-71), en la *Carta* que encapçala el *Diccionario valenciano castellano* de Carles Ros, és conscient de quina manera eren poc favorables els temps per dur a terme les tasques que ell s'havia proposat (edició dels clàssics, depuració del llenguatge, etc.).

## L'ÚS LITERARI (46, 63 i 67)

A) Punts previs:

1) El català es reclou cada cop més en textos no cultes; n'és un testimoni evident el teatre, on, mentre el castellà és la llengua bàsica, el català és la llengua d'alguns sainets còmics de complement.

2) La reducció del català a la literatura popular, desvinculada de la que produeix l'*élite* il·lustrada, fa que sigui l'expressió d'una literatura bàsicament barroca, llevat dels casos de la Catalunya Nord —part de l'Estat francès— (Simó Salomó, Melcior Gelabert,...) i de Menorca —colònia anglesa— (Joan Ramis,...).

B) Principat de Catalunya

1) Es produeixen diversos cicles de *poesia popular* al voltant de determinats esdeveniments: a) cicle reivindicatiu dels anys 1701-02 a causa del viatge a Barcelona de Felip IV; b) cicle d'unes trenta-cinc composicions d'exaltació patriòtico-religiosa escrites en ocasió de la consagració del nou altar de Santa Maria del Mar (1782); c) la fundació del temple de la Mercè (1765) també va originar cicles poè-

tics; d) cicle entorn de la Guerra de Successió; e) cicle entorn de la Revolució francesa; ...

2) Entre els representants de la *poesia culta*, hem de destacar: a) Agustí Eura i Martró (1680-1763), autor d'una *Descripció de Montserrat* i de dos poemes necrofílics: *Anatomia mental del cos humà* i *En memòria d'una sepultura*; b) Francesc Tagell (s. XVII-1767) va escriure un *Poema anafòric*, d'estil barroc, i una *Relació*, poema en dècimes on explica des de Roma els fets ocorreguts a la mort de Climent XII (1740), el conclave i l'elecció de Benet XIV, tot acabant amb uns versos que expressen la seva esperança en el ressorgiment de Catalunya; c) Jaume de l'Àngel Custodi Vada (1764-1821), en la seva *Oda al beat Josep Oriol*, demana la protecció del sant per la seva terra, destruïda per la Guerra del Francès; d) Ignasi Ferreres (segona meitat del XVIII), entre els poemes del qual destaca el *Soliloqui de Caifàs*, monòleg posat en boca de Caifàs, que imagina els sofriments de Crist abans de morir. Ferreres, com A. Eura i J. Vada, és ja un poeta pre-romàntic.

3) La figura més destacada de la *prosa descriptiva* del segle XVIII és Rafael d'Amat i de Cortada, baró de Maldà (1746-1819). La seva obra, *Calaix de sastre* (1769-1816), que té seixanta volums, és una descripció amena i viva de la vida catalana de l'època.

També hem de parlar de Fra Joan López (1730-98), que en la *Peregrinació a Jerusalem* ens conta la seva estada a Terra Santa (divuit anys) i descriu el paisatge, les formes de vida, els costums dels pobles que va coneixent.

4) Teatre: a) Pel que fa al *teatre religiós*, continuen les obres que pertanyen al cicle de Nadal i de la Passió. Antoni de Sant Jeroni va escriure una *Representació de la sagrada passió*, que és la base de les passions que es representen actualment. Dins

del teatre hagiogràfic, cal citar l'obra d'Ignasi Planes, *Passos del martiri de Santa Eulària.*

b) El *teatre profà* (sainets i entremesos) té un to col·loquial i directe: *Entremès del porc i de l'ase. L'avarícia castigada per l'astúcia de Tinyeta* ...

## C) País Valencià

1) En l'àmbit de la *poesia popular*, com hem vist en el cas del Principat, el català es fa servir essencialment a l'hora d'escriure textos que envolten esdeveniments que tenen una transcendència social: a) la canonització de San Juan de la Cruz; b) el patronatge anual de Sant Vicent Ferrer; c) l'arribada de les relíquies de Sant Pere Pasqual; d) el cinquè centenari de la conquesta de València per Jaume I...

2) Són representants de la *poesia culta*: Bartomeu Tormo (1718-73), autor d'una *Gatomàquia vavalenciana*; Joan Collado (1731-67), que escriví *Poesies valencianes*; Joan Baptista Escorihuela (1753-1817) és autor de *L'Àngel de l'Apocalipsi*, composició en honor de Sant Vicent Ferrer, d'una versió de la seqüència litúrgica *Stabat Mater dolorosa*, i d'altres obres.

3) La figura de més relleu dins la *prosa* és Lluís Galiana (1740-71), que escriu la *Rondalla de rondalles*, inspirada en el *Cuento de cuentos* de Quevedo i que té un interès literari i també lingüístic perquè reflecteix el valencià de l'època.

4) El *col·loqui*, que, pel seu caràcter dialogat, ocupa una posició intermèdia entre la poesia narrativa i el teatre, és un gènere molt cultivat a l'època. El més popular és el *Col·loqui de Nelo el Tripero*, de Pasqual Martínez Garcia (1772-mitjan segle XIX). Hi ha també un teatre satíric continuador del que trobàvem ben desenvolupat a València al llarg dels segles XVI i XVII.

## D) Catalunya Nord

1) Extensió del neoclassicisme, moviment literari que aparegué tard a les terres catalanes i que s'introduí en els territoris annexionats a França (Catalunya Nord) i a Anglaterra (Illa de Menorca).

2) *Poesia*. Simó Salomó i Melcior Gelabert escriuen un *Manual de càntics* (1775) en el alexandrins francesos.

3) *Teatre*. Amb motiu de la restauració de l'església de Tuïr (1770) s'inicia un cicle teatral d'acord amb els principis neoclàssics: a) traduccions: *Zaïra*, de Voltaire, traduïda en dues versions, una de Sebastià Sabiüda, l'altra d'Antoni de Banuls; *Athalie*, de Racine, traduïda també en dues versions, una de Noel Camps, l'altra de Miquel Ribes; etc. b) obres originals: Melcior Bru Descatllar és l'autor probable de la *Tragèdia de Sant Fructuós*; Josep Balanda i Sicart, autor de *Tragèdia dels sants Sixt, Llaurenç, Hipòlit i Romà;* ...

## E) Illes Balears

1) Menorca. El moviment neoclàssic creix a l'entorn de la Societat de Cultura de Maó (1778-83), on l'home clau era Joan Ramis i Ramis (1746-1819), autor de l'ègloga de *Tirèsies i Filis* (1783) i de les obres dramàtiques *Lucrècia* (1769) i *Rosaura o el més constant amor* (1783). També a Menorca, trobem Antoni Febrer Cardona (1761-1841), autor d'una versió de la seqüència litúrgica *Stabat Mater* i d'uns *Principis de lectura menorquina* (1804), que esmentarem en parlar dels estudis sobre la llengua al llarg del segle XIX, i Pere Monjo, autor de la *Història de la invenció de Nostra Senyora de Toro*.

2) Mallorca. Rep la influència neoclàssica de la veïna Menorca, que queda palesa a través de Guillem

Roca i Seguí (1742-1812) en les seves *Fàbula jocosa de l'àguila i l'escarabat*, *Fàbula burlesca de Píramo i Tisbe*, etc. Quant al teatre, cal esmentar Joan Sales i Cotoner, autor de *Marc Antoni*; Sebastià Gelabert, que escriu una *Comèdia del gloriós màrtir Sant Sebastià*, i el mateix Guillem Roca, autor de la *Comèdia del misser miserable*.

## EL CATALÀ I LA PREMSA DIÀRIA

Cap a la fi del segle xviii, apareixen els primers diaris a les terres catalanes i ho fan en llengua castellana («Diario de Valencia» —1790—, «Diario de Barcelona» —1792—), amb algunes taques de català; la llengua catalana no disposarà de publicacions periòdiques fins al segle xix i bàsicament a partir de la segona meitat d'aquell segle amb l'aparició, l'any 1843, de «Lo verdader català».

Durant el segle xviii la premsa periòdica acollirà polèmiques sobre la llengua catalana (sobretot qüestions d'ortografia), fet que es repetirà, augmentat, durant el segle xix.

## L'ÚS ADMINISTRATIU (36)

1) El Decret de Nova Planta disposa d'una manera implícita (art. 5è: «*Las causas en la Real Audiencia se substanciarán en lengua castellana*») l'oficialització del castellà com a única llengua de l'administració a les terres catalanes (llevat de Menorca, on la castellanització del llenguatge administratiu s'enceta amb l'acabament del segle xvii, i de la Catalunya Nord, que, d'ençà de l'edicte que l'any 1700 hi prohibeix l'ús del català com a llengua ofi-

cial, viu una forta francesització de l'administració pública).

2) Es promulguen instruccions perquè, a poc a poc i sense que el poble se n'adoni gaire, es vagi castellanitzant l'administració pública.

3) Una part important dels funcionaris (els de caire més local) no estan capacitats per usar el castellà, i, a més, a nivell oral hi ha, sobretot al camp, un desconeixement general del castellà. Això fa que durant el segle XVIII es mantingui l'ús del català en alguns documents administratius:

a) Els documents d'àmbit més universal i redactats en el si de les institucions centrals a les terres catalanes s'escriuen en castellà a partir del Decret de Nova Planta (les estadístiques de població, els decrets,...).

b) Els documents de caire més interpersonal i local (contractes de compra-venda, ordinacions internes,...) es mantenen sovint en català.

4) Hi ha una progressiva introducció de castellanismes dins el català administratiu (aparició a l'interior de textos catalans de formes gramaticals castellanes, p. ex.: *Luego*,...; o de tractaments personals, p. ex.: *Muy Sor. mio*,...).

5) Durant la Guerra Gran, contra la Convenció francesa, o Guerra del Rosselló (1793-95), apareixen documents públics més aviat de caire pamfletari redactats en català.

6) El català es conserva com a llengua d'ús davant els tribunals fins a l'any 1820, i la Llei del Notariat, l'any 1862, farà obligatori el castellà en aquest darrer àmbit, fins aleshores molt fidel a la llengua catalana.

## TRACTATS CIENTÍFICS (60)

La Il·lustració, ja ho hem dit, barra el pas del català a l'àmbit científic, que és ocupat majoritàriament pel castellà. Així, si bé disposarem d'institucions (p. ex.: la Junta de Comerç de Barcelona,...) i de grans investigadors arreu dels Països Catalans (Francesc Salvà i Campillo —1751-1828—, Antoni-Josep Cavanilles —1745-1804—, Carles de Gimbernat —1796-1834—,...) el català no era llur llengua de treball.

Malgrat tot, com ara veurem, posseïm algunes obres científiques escrites en català. També citarem les institucions existents en algunes parcel·les de la ciència.

A) Matemàtiques

● Acadèmia Matemàtica de Barcelona (1736-60).
● Conferència Físico-Matemàtica Experimental (1764).
● Francesc Ifern, mort l'any 1754, és autor del manual *Compendi Breu de les Quatre Reglas Generals de l'Arithmètica Pràctica*, llibre possiblement anterior a 1717 i del qual es feren diverses edicions posteriors.
● Gabriel Nadal (1747-1829) és autor d'un *Tractat d'aritmètica i geometria pràctica*.

B) Astronomia

● Esteve Bonet escriu *Pronòstich diari* (1771 i 1772).

C) Zoologia

● Es crea l'Escola de Botànica i Agricultura (1807) en el si de la Junta de Comerç de Barcelona (1758).

● Marc Antoni d'Orellana (1731-1813) fa un *Catàlogo i descripció dels pardals de l'Albufera de València* (1795) i *Catàlogo dels peixos que es crien i peixquen en la Mar de València* (1802).

D) Història natural

● Francesc Llobet és autor d'un *Diccionari d'Història Natural* (mitjan segle XVIII).

E) Agricultura

● Joan Pau Casals i Martí fa una *Recopilació de las reglas principals sobre lo Cultiu i preparació de la Planta anomenada Roja o Granza* (1766).

F) Història

● Pere Serra i Postiu (1661-1748) escriu *Lo perquè de Barcelona*.

G) Medicina

● Reial Col·legi de Cirurgia (1760).
● Acadèmia de Medicina Pràctica (1779).

# ELS ESTUDIS SOBRE LA LLENGUA (52, 61 i 65)

A) Diccionaris

1) Principat
● Diverses reedicions del *Diccionari de Pere* Torra i del *Diccionari* de Joan Lacavalleria.

● Josep Broch: *Promptuario trilingüe* (1771), vocabulari català, castellà, francès; distribuït per camps semàntics.

● Antoni de Capmany (1724-1813) en la seva edició del *Llibre del Consolat de Mar* (1791) afegeix un *Vocabulario de las palabras catalanas más difíciles del «Libro Consulado»*.

● Baldiri Rexach (1703-81) inclou dins les seves *Instruccions per l'ensenyança de minyons* un vocabulari castellà-català.

2) País Valencià

● Carles Ros (1703-73) és autor de diverses obres lexicogràfiques: *Breve Diccionario Valenciano-Castellano* (1739); *Diccionario Valenciano-Castellano* (1764); *Corrección de vozes y phrases que el vulgo u común de Valencia usa o ha introducido hablando (u queriendo hablar) en su Materno Idioma* (1771); *Raro Diccionario valenciano único y singular, de voces monosílabas* (inèdit).

● Manuel Joaquim Sanelo (1760-1827): *Diccionario valenciano-castellano*, veritable obra mestra en la seva època.

● Marc Antoni d'Orellana, autor de dos tractats lexicogràfics de zoologia (vegeu *supra*).

3) Illes

● Antoni Oliver (1711-87): *Vocabulario trilingüe mallorquín, castellano y latín* (revisat per P. G. Domènech —1728-79—).

● Joan Facund Sureda (1734-96): *Diccionario mallorquín, castellano y latín*.

● Antoni Balaguer (mort l'any 1783): *Diccionario de los vocablos de la lengua mallorquina y su correspondencia en la española y latina*.

● Ramon Fortuny (1739-1812): *Diccionario mallorquín-castellano*.

● Francesc Mayol (mort l'any 1821): *Diccionari mallorquí, castellà i llatí.*

● Josep de Togores, comte d'Aiamans (1767-1831): *Diccionari mallorquí-castellà.*

## B) Gramàtiques

● La primera gramàtica catalana és la de Josep Ullastra (1690-1762): *Grammàtica cathalana embellida ab dos ortografies* (1743), inèdita fins fa molt poc.

● Joan Petit Aguilar és autor també d'una *Gramática catalana, predispositiva para la más fácil inteligencia de la española y latina* (la data del pròleg és 1796).

## C) Ortografies

● Carles Ros: *Práctica de Ortographia para los idiomas Castellano y Valenciano* (1732).

● Pere Màrtir Anglès: *Prontuario Orthologi-Gráphico Trilingüe... En que se ensenya a pronunciar, escribir y letrear correctamente en Latín, Castellano y Catalán* (1742).

● Antoni Alegret: *Estudi sobre les diferències en la manera ortogràfica d'escriure antic i modern de la llengua catalana.* És una dissertació que l'autor presentà l'11 de juliol de 1792 a la Reial Acadèmia de Bones Lletres de Barcelona.

● Presència a la premsa:

a) És molt interessant una polèmica sobre l'ortografia catalana que es produí a través de les pàgines del «Diario de Barcelona» entre juliol i novembre de 1796, en la qual va participar, amb anagrames (Taboll, Botall, Anton Lo-Blat), Josep Pau Ballot, de qui tornarem a parlar més endavant. La discussió s'estableix, bàsicament, entre els qui opinen que, l'ortografia, cal fer-la en funció de la pronúncia contemporània i els qui creuen que cal tenir en compte l'etimologia i la història dels mots. Al llarg d'aquest moment històric s'hi nota a faltar l'existència d'una autoritat que, amb criteris rigorosament científics, marqui les normes del català literari. Aquesta absència afavoreix l'ús del castellà com a llengua escrita.

b) Al País Valencià, tenim també testimonis (p. ex.: el 1799 al «Correo de Valencia» i el 1802 al «Diario de Valencia») de projecció en la premsa de problemes ortogràfics, tot i que sense la força que prengué la polèmica del «Diario de Barcelona».

# CAPÍTOL VII

# SEGLE XIX. LA REPRESA

## EL CONTEXT POLÍTIC (68, 69 i 70)

a) Del 1808 al 1814 es produeix la Guerra del Francès, que comporta, d'una banda, un afermament de la voluntat d'uniformisme lingüístic, ben clara en el cos ideològic fonamental de la Revolució francesa, simplificació a la qual la burgesia catalana dóna suport i que necessita per causa de l'expansió que viu aleshores el comerç amb Amèrica; de l'altra, que els francesos intentin de fer arribar la frontera entre els Estats francès i espanyol al riu Ebre, per la qual cosa busquen l'acostament dels catalans, tot afavorint l'ús del català com a llengua cooficial.

b) Les Guerres carlines són fruit de les tensions polítiques entre l'absolutisme i el liberalisme; si es vol, també, entre el camp i la ciutat. La primera es produeix entre 1833 i 1840, i la segona entre 1846 i 1849.

c) El 1837 sorgeix la segona revolta dels milicians de la Brusa en un intent de proclamar la independència de Catalunya.

d) La industrialització, accelerada d'ençà de la segona meitat del segle, va marcant una diferència substancial entre les terres catalanes, sobretot al Principat, i la resta de l'Estat, fet que afavorirà la participació de la burgesia catalana en els moviments nacionalistes.

e) Durant el Bienni Progressista (1854-56), la burgesia catalana s'adona que no pot fer res per «liberalitzar» el poder estatal.

133

f) S'inicia un procés renovador amb la Revolució de setembre de 1868, que implicarà un canvi de dinastia i, per fi, la instauració de la primera República espanyola, amb la qual es proclamà, el mateix any 1873, l'Estat Català. Però el 1874 es produeix la restauració del règim anterior a l'any 1868, que fou ben rebuda per la burgesia, ja que la via revolucionària començada tenia força perills per als seus interessos de classe. L'etapa oberta l'any 1874 no es tancarà fins al cop d'estat del general Primo de Rivera (1923).

g) A l'entorn de Valentí Almirall es desenvolupa un catalanisme progressista. Donem-ne algunes dades: 1) publicacions periòdiques («El Estado Catalán» —1869-73—, «Diari Català» —1879-81—); 2) congressos (I Congrés Catalanista —1880—, II Congrés Catalanista —1885—); 3) manifestos (*Memorial de Greuges* —1885—); 4) llibres (*Lo Catalanisme* —1886—, del mateix Valentí Almirall).

h) Existència d'un catalanisme de caire conservador, que es pot dir que triomfa amb les *Bases de Manresa* (1892) i que desemboca en la fundació de la Lliga Regionalista l'any 1901.

i) Pèrdua de les colònies (Cuba i Filipines), l'any 1898, que produirà una etapa de crisi.


## EL CONTEXT CULTURAL I L'EVOLUCIÓ GENERAL DE L'ÚS DEL CATALÀ
(42, 56, 68, 71 i 73)

a) A l'inici del segle XIX i després de la Guerra del Francès, sembla consolidar-se la situació de marginament del català a l'àmbit popular, mentre el castellà dominava còmodament l'ús culte de la llengua; al País Valencià, però, el procés castellanitzador viu un cert alentiment.

134

b) El català es manté fermament com a llengua d'ús popular, l'èxit del teatre de Robrenyo, que escriu peces catalanes o bilingües, cap als anys vint, ens ho fa notar clarament.

c) La Renaixença, nascuda amb una clara vinculació amb el Romanticisme, moviment cultural que es desenvolupava contemporàniament arreu d'Europa, s'inicia amb un esperit més aviat regionalista l'any 1833 amb l'*Oda a la pàtria* de Bonaventura Carles Aribau i s'estén fins a l'any 1891, data aproximada del naixement del Modernisme. La Renaixença comportarà un revifament del català com a llengua de cultura. Donem-ne algunes dades clau: A) fets anteriors a l'any 1833: 1) fundació de la Societat Filosòfica (1817) amb la participació de B. C. Aribau i R. López Soler; 2) creació de la revista romàntica «El Europeo» (1823-24); B) fets que es produeixen a partir de l'any 1833: 1) creació de la revista romàntica «El Vapor» (1833-38); 2) publicació, l'any 1836, del *Nou Testament* en català; 3) publicació dels textos poètics que componen *Lo Gayter del Llobregat* de Joaquim Rubió i Ors al «Diario de Barcelona» (1839-40); 4) consolidació de la premsa en català, sobretot a partir de l'any 1843, data de sortida de «Lo Verdader Català»; 5) l'any 1854, Josep Anselm Clavé estrena la primera peça coral catalana, *La font del roure*; 6) restauració dels Jocs Florals (1859),...

d) A la renaixença cultural del Principat de Catalunya, s'hi incorporaran aviat el País Valencià (Constantí Llombart, Teodor Llorente,...) i les Illes Balears (Marià Aguiló, Miquel Costa i Llobera,...).

e) A partir de l'any 1891 i fins a l'any 1911 es desenvoluparà el corrent cultural del Modernisme, que lluitava per una modernització de la cultura catalana: a) s'intenta la superació del regionalisme renaixentista per arribar a un veritable nacionalisme; b) es produeix una obertura als moderns moviments culturals europeus, amb una clara voluntat d'universalitat.

Potser el fet més representatiu del Modernisme, al costat de les grans figures com és ara Joan Maragall o Ignasi Iglésies, és el nucli intel·lectual de l'Avenç, amb la revista del mateix nom, portaveu essencial de la ideologia modernista. El Modernisme contindrà el punt de partença de l'actual normativa del català escrit (Campanya de «L'Avenç» —1890-1892—).

f) A partir de la segona meitat del xix es consolida el desenvolupament del teatre català, sobretot d'ençà de la instal·lació, l'any 1866, del Teatre Català Romea. Durant la primera meitat del segle descobrim la comèdia costumista vulgar (*Les astúcies d'en Tinyeta o l'avarícia castigada*, de Josep Arnau, o *Més s'aprecien els dinés que la sanch y el parentesch*, de Manuel Branchat) i el sainet revolucionari (Josep Robrenyo —c. 1780-1838—: *La fugida de la Regència de la Seu d'Urgell*). En tot cas, el fet que els actors haguessin d'ésser contractats obligatòriament al mercat central de Madrid entrebancava la catalanització del teatre. Tanmateix, com hem dit, la segona meitat del segle comporta una notable extensió de la producció teatral catalana: és l'època de Frederic Soler, «Pitarra», (1839-95), l'autor de *L'esquella de la Torratxa* (1864), *Les joies de la Roser* (1866), *El ferrer de tall* (1874); de Ferrer i Fernàndez, l'autor de l'obra *A l'Àfrica, minyons!* (1859); d'Eduard Vidal i Valenciano (1839-99), autor de *Tal faràs, tal trobaràs* (1865); de Conrad Roure (1841-1928), autor d'*Una noia és per un rei* (1865), *La comèdia de Falset* (1869) o *Passions funestes* (1898).

Tan gran fou l'èxit del teatre català en aquest període, que el 15 de gener de 1867 es publica una Reial Ordre en què es disposa que no s'admetrà a la censura (que era obligatòria) cap obra de teatre escrita exclusivament «*en cualquiera de los dialectos de las provincias de España*».

Cal que recordem també aquí la figura d'Eduard Escalante i Mateu (1854-1921), màxim representant del teatre costumista valencià i autor d'un gran èxit, que va escriure 47 sainets, entre els quals podem esmentar: *Les xiques de l'«entresuelo»* (1877), *L'escaleta del dimoni* (1874),...

g) L'acabament del segle XIX representa la consolidació de la revifada del català (pensem, per exemple, en la creació, l'any 1899, de l'Associació Protectora de l'Ensenyança Catalana), tot i que, posem per cas, encara no arriba a l'àmbit administratiu. Tanmateix, en general s'avança força camí cap a la normalització i, alhora que els fets reals immediats, es creen els fonaments perquè a l'inici del segle XX la normalització s'afermi. Vegem-ne un exemple: la predicació religiosa es féu a Barcelona en castellà fins a la fi del segle XIX, d'ençà d'aleshores el català retroba aquest àmbit d'ús. El 1890, el Sínode de Barcelona aprova un decret en què prescrivia la predicació en català (així mateix, l'any 1892, el vicari general de Solsona prohibeix de predicar en castellà sense llicència), circumstància que queda confirmada amb una pastoral del gener de 1900 feta pel bisbe Morgades, de Barcelona, el qual adopta la mesura que el català sigui la llengua de la predicació, de la catequesi i de les devocions de l'Església.

## UNITAT I DEFENSA DE LA LLENGUA
(56, 58, 64 i 73)

Al llarg del segle XIX es produeix un seguit de testimonis en defensa de la llengua, des de les primeres manifestacions de Manuel Civera l'any 20

137

(que encapçala uns col·loquis seus amb una apologia del valencià, on, a més, queda palesa la situació lingüística del moment al País Valencià), fins al darrer terç del segle, que n'està reblert: a) els articles de Roca i Farreras l'any 1873 a «La Renaxensa»; b) a València, Constantí Llombart (*Calendari Llemosí* —1874—, *Los fills de la Morta-Viva* —1879—); c) la fundació de «Lo Rat-Penat» (1878), en la qual intervingué el mateix Constantí Llombart, societat que assegurà la continuïtat de la Renaixença al País Valencià; d) el *Memorial de Greuges* de 1885; e) el *Missatge a la Reina Regent* fet l'any 1888 per homes del catalanisme conservador, on hom demana la plena oficialitat del català; f) les *Bases de Manresa* —1892—, on es demana que el català sigui l'única llengua oficial a Catalunya,...

Pel que fa a les Illes, la figura central del moviment catalanista del segle XIX és Marià Aguiló (1825-97), clar impulsador de la defensa de la unitat de la llengua catalana, com demostra en dos moments importants per al desenvolupament de la Renaixença: a) el discurs de gratitud dins els Jocs Florals de 1862; b) el discurs presidencial als Jocs Florals de 1897. A més, Marià Aguiló dugué a terme una vasta obra cultural com a lexicògraf, com a bibliògraf i com a escriptor, la qual inspirarà la catalanitat d'un reguitzell de notables illencs: Jeroni Rosselló, que, en el discurs presidencial dels Jocs Florals de 1873, insisteix en la unitat de la llengua; Josep Tarongí, que en el pròleg al seu llibre de poesia *Inspiraciones* (1882), diu que hi ha un sol català literari i que aquest s'escriu i s'ha d'escriure igual per catalans, balears i valencians; Tomàs Forteza, que el 1886 publica tres articles al «Museo Balear» amb el títol *Observaciones generales sobre la lengua materna*, on combat amb arguments ben fonamentats científicament els mallorquins que discutien la unitat de la llengua catalana; Miquel dels Sants Oliver, autor d'una sèrie d'articles sobre llengua publicats a «La Almudaina» entre 1892 i 1894, que accepta i defensa els mateixos principis d'Aguiló i Forteza; Mn. Antoni M. Alcover, promotor del *Diccionari català-valencià-balear* i indiscutible motor d'iniciatives que ajudessin la confirmació de la unitat de la llengua: escriu la *Lletra de convit* (1901), on demana la col·laboració del poble català en l'obra del Diccionari; el mateix any comença a aparèixer el «Bolletí del Diccionari de la Llengua Catalana»; Mn. Alcover serà, a més, l'organitzador del Primer Congrés Internacional de la Llengua Catalana, celebrat a Barcelona l'any 1906.

## L'ÚS LITERARI (71, 72, 74, 75, 76 i 77)

I) En el segle XIX trobem dos grans corrents literàries:

A) La Renaixença, primer esforç de redreçament cultural català, que s'anirà estenent per tots els Països Catalans i que coixejarà d'un esperit més tost regionalista amb predomini de la literatura estrictament poètica; B) El Modernisme, consolidació progressista de les conquestes de la Renaixença, amb un desenvolupament molt notable dels gèneres no poètics i amb una preocupació més nacionalista —assoliment d'una literatura nacional autònoma, amb extensió a tots els gèneres literaris— i universalista del fet literari i del fet cultural en general.

II) La Renaixença, que considerem iniciada amb l'*Oda a la pàtria* (1833) de Bonaventura Carles Aribau (1798-1862), tindrà el seu primer llibre l'any 1839 amb les *Llàgrimes de viudesa* de Miquel Anton Martí. Alhora, Rubió i Ors (1818-99) publicarà al «Diario de

Barcelona» *Lo Gayter del Llobregat* (1839-40), conjunt de poemes que aplegarà l'any 1841. El pròleg d'aquesta edició serà ja un manifest programàtic del moviment.

L'any 1859 és per al moviment renaixentista una fita ben significativa: la restauració dels Jocs Florals.

Manuel Milà i Fontanals (1818-99) fou un home important de la Renaixença, com a erudit (*Romancerillo catalán,...*) i com a poeta (*La cançó del pros Bernat,...*).

D'altres figures destacades de la Renaixença al Principat són: a) Víctor Balaguer (1824-1901): *Lo trobador de Montserrat* (poesia), *Los Pirineus* (teatre); b) Emili Vilanova (1840-1905): *Quadros populars* (narracions), *Qui compra maduixes!* (teatre), *Tristeta* (novel·la); c) Jacint Verdaguer (1845-1902): *L'Atlàntida* (poema guanyador dels Jocs Florals de 1877), *Canigó* (poema èpic), *Idil·lis i cants místics* (poesia religiosa); d) Àngel Guimerà (1845-1924): *Mar i cel*, *Gal·la Placídia* i *Terra Baixa* (teatre), *Indíbil i Mandoni* (poesia); e) Narcís Oller (1846-1930), novel·lista: *Vilaniu, Pilar Prim, La febre d'or*.

Quant a les Illes, hi trobem Marià Aguiló: *Llibre de la mort*; Josep Lluís Pons i Gallarza (1823-94), poeta: *L'olivera mallorquina*; Miquel Costa i Llobera (1854-1922): *Horacianes* i *El pi de Formentor* (poesia), *Visions de Palestina* (prosa); Joan Alcover (1854-1926), poeta: *Cap al tard, Elegies, Cançons de la serra*.

Pel que fa al País Valencià, hi hem de destacar Tomàs Villarroya (1812-56): *Cançó*; Teodor Llorente (1836-1911), representant del valencianisme conservador i membre fundador de Lo Rat-Penat, autor de *La Barraca*;...

140

III) La represa de la noveHa.

Entre el *Tirant lo Blanc* i *L'Orfeneta de Menàrguens* d'Antoni de Bofarull (1821-92), hi ha un buit pràcticament absolut en la història de la noveHa catalana. De fet, a l'inici del segle XIX apareix una mena de noveHística catalana (amb plantejament i tema catalans) escrita en castellà (Joan Cortada, Estanislau de Kostka, Abdó Terradas,...), situació contradictòria que s'anirà resolent a favor de l'ús del català (entrebancat per la mancança d'una normativa ortogràfica i gramatical), com evidenciaran les obres de Narcís Oller, Raimon Casellas o Víctor Català.

IV) El Modernisme neix en gran part a l'entorn del nucli inteHectual de l'Avenç, la vida del qual s'estengué entre 1881 i 1915. Aquest grup creà set revistes, dotze coHeccions literàries diferents i hi publicà més de 500 títols.

Quant al moment de la seva formació, hom pot vincular-lo a la «treva» que significà la restauració de la dinastia borbònica (1874). També cal esmentar, en un nivell extern, les festes modernistes organitzades al Cau Ferrat de Rusiñol, a Sitges.

Pel que fa a la producció literària del Modernisme, podem triar-ne les dades següents: a) Raimon Casellas (1855-1910): *Els sots feréstecs* (noveHa), *Les multituds* (narracions); b) Joaquim Ruyra (1858-1939), prosista: *La parada, Pinya de rosa, Entre flames*; c) Joan Maragall (1860-1911): *Elogi de la paraula* (prosa), *Poesies, Les disperses, Visions i cants, Seqüències, Enllà*; d) Santiago Rusiñol (1861-1931): *Anant pel món* i *L'illa de la calma* (narració), *L'auca del senyor Esteve* i *El jardí abandonat* (teatre); e) Prudenci Bertrana (1867-1941): *Josafat,* i *Jo! Memòries d'un metge filòsof* (noveHa), *Proses bàrbares* (narracions); f) Ignasi Iglésias (1871-1928), drama-

turg: *El cor del poble, Els vells, L'alosa*; g) Adrià
Gual (1872-1943), dramaturg: *Misteri de dolor, La
pobra Berta*; h) Caterina Albert i Paradís, «Víctor
Català» (1869-1966), prosista: *Solitud, Drames ru-
rals, Ombrívoles*; i) Pere Coromines (1870-1939): *Les
llàgrimes de Sant Llorenç* (novel·la), *A recés dels
tamarius* (narracions), *La vida austera* i *Jardins de
Sant Pol* (assaig).

## EL NAIXEMENT DE LA PREMSA EN CATALÀ
### (78 i 79)

Al llarg del segle XIX es produeix el naixement
i el primer creixement de la premsa periòdica en
català, la qual, amb el pas dels anys, anirà prenent
saó i augmentant en nombre, qualitat i tiratge. Un
fet certament important de la premsa catalana du-
rant el segle XIX (fet que es repetirà al segle XX) és
la seva vitalitat a les comarques, la seva dispersió
per tot el territori dels Països Catalans. També cal
remarcar l'aparició dels primers diaris en català:
«Diari Català» (B., 1879-81), «La Renaixensa» (B.,
1881-1905), «Lo Somatent» (Reus, 1886-1903), «Lo Ca-
talanista» (Sabadell, 1897-98), «La Veu de Tortosa»
(Tortosa, 1899-1902), «La Veu de Catalunya» (B.,
1899-1937).

Quant a la seva evolució, hom sol establir una
distinció de sis períodes diferents a l'interior del
segle XIX:

I)   fins a l'any 1843: a) *diaris oficials* de la Guer-
ra del Francès, on s'utilitza, en coexistència amb
d'altres llengües (el francès sobretot, a vegades tam-
bé el castellà) el català: «Diari de Barcelona i del
Gobern de Catalunya» (B., 1810), «Gaseta del Corre-
giment de Girona» (G., 1810) i «Gazette de Gironne»

(G., 1812); b) *diaris de propaganda política absolutista*: «Diari de Buja» (Ciutat de Mallorca, 1812; continuat l'any 1813); c) *setmanaris satírico-polítics*: «La Ronda del Butoni» (València, 1820), «El Mole» (V., 1837).

II) de 1843 a 1865 (període d'inici de la premsa renaixentista): a) «Lo Verdader Català» (B., 1843); b) *calendaris i pronòstics* (1845, 1847, 1856, 1857, 1864,...); c) *periòdics satírics*: «La Donsayna» (V., 1844), «El Saltamartí» (V., 1860).

III) de 1865 a 1879 (etapa de consolidació): a) «Un tros de paper» (B., 1865); b) «Calendari català», revista amb participació d'autors de totes les terres catalanes, (B., 1865-88) i l'almanac literari «Lo Rat-Penat», paral·lel valencià del «Calendari català» (V., 1875-83); c) *periòdics satírico-polítics*: «La Campana de Gràcia» (B., 1870; primer gran èxit de la premsa catalana), «L'Esquella de la Torratxa» (B., 1879); d) *periòdics humorístics de caire general*: «Lo Noy de la Mare» (B., 1866), «Lo que passa» (Tarragona, 1869), «Lo tap de Suro» (Figueres, 1876), «Lo Pare Mulet» (V., 1877); e) *periòdics patriòtico-literaris*: «Lo Gat dels Frares» (B., 1866), «Lo Gay Saber» (B., 1868), «La Renaxensa» (B., 1871), «La Llumanera de Nova York» (N.Y., 1874), «L'Aureneta» (Buenos Aires, 1876), «La Veu de Montserrat» (Vic, 1878), «Revista Balear» (bilingüe, Ciutat de Mallorca, 1878); f) *òrgans de tendències o partits polítics*: «La Marsellesa» (B., 1873, republicans), «L'Ametrallaora Carlista» (V., 1871, carlins).

IV) de 1879 a 1882 (aparició dels primers diaris): a) *diaris*: «Diari Català» (B., 1879), «La Renaixensa» (B., 1881); b) *periòdics humorístics de caire general*: «La Ignorància» (Ciutat de Mallorca,

1879), «Lo xiulet del Carril» (Vilanova, 1881); c) *revistes culturals*: «La Il·lustració Catalana» (B., 1881), «Revista Catalana» (Manresa, 1880); d) *revistes de propaganda catalanista*: «La Pàtria Catalana» (Valls, 1880); e) *revistes de tendències polítiques*: «La Roja» (B., 1881), «La Tramontana» (B., 1881).

V) de 1882 a 1898 (primers contactes europeus modernistes): a) *revistes humorístiques de caire general*: «La Vespa» (B., 1882), «La Traca» (V., 1884), «La Baylarina» (Banyoles, 1890); b) *revistes culturals*: «L'Avens» (B., 1882; més tard «L'Avenç»), «Lo Rat-Penat» (V., 1884), «Revista Catalana» (B., 1889), «Revista de Catalunya» (B., 1896), «La Gaya Ciència» (B., 1896); c) *premsa de propaganda catalanista*: «La Veu del Camp» (Reus, 1885), «Lo Catalanista» (Sabadell, 1887; durant el període 1897-98 com a diari), «La Veu de Catalunya» (setmanari, B., 1891), «L'Almogàver» (Figueres, 1897), «Lo Somatent» (diari, Reus, 1886); d) *premsa de tendències polítiques diverses*: «La Reforma Social» (V., 1883, col·lectivista), «El Chornaler» (V., 1884, anarquista), «Lo Rossinyol» (Girona, 1885, carlista).

VI) anys 1898-99 (tot canviant de segle): a) *premsa literària i patriòtica*: «Catalònia» (B., 1898), «La Nació Catalana» (B., 1898), «La Senyera» (Palamós, 1898), «Lo Pi de las Tres Brancas» (Berga, 1898), «La Veu de Catalunya» (diari, B., 1899); b) *premsa humorística*: «Lo Dr. Camamilla» (B., 1898), «Lo Ventall» (Reus, 1898), «La Rialla» (Lleida, 1899), «El Cullerot Alicantí» (Alacant, 1900); c) *premsa sobre temes d'art*: «Quatre Gats» (B., 1899), «Pèl & Ploma» (B., 1899).

## L'ÚS ADMINISTRATIU (36)

I) Destaca especialment, en aquest segle XIX, l'ús del català com a llengua de l'administració durant la Guerra del Francès. Es tracta de dos moments diferents: a) durant el mandat d'Augereau com a governador de Catalunya (1810), època en què el català és usat habitualment com a llengua oficial al costat del francès (des dels bans públics al diari oficial, com hem vist en parlar de la premsa); b) quan, l'any 1812, es vol fer una versió del Codi Civil francès i es decideix, gràcies a la intervenció del baró de Gérando, de fer-la en llengua catalana.

II) Un cop acabada la Guerra del Francès, es torna a la marginació del català dels usos administratius, fet que es va agreujant a poc a poc (el 1820 desapareix dels Tribunals de procediment criminal, el 1862 desapareix de l'àmbit notarial,...)

III) L'ús administratiu del català no serà modificat (és a dir, romandrà inexistent) per les circumstàncies que a la fi de segle porten a un reviscolament de la cultura catalana: tanmateix, les conseqüències polítiques del moviment catalanista nascut el segle XIX, que es produiran essencialment al llarg del primer vicenni del segle XX, sí que permetran al català d'anar-se reincorporant a l'àmbit administratiu.

## ELS LLIBRES DE CUINA

En posseïm dos que val la pena d'esmentar: *La Cuynera catalana* (editat el 1835 i amb una segona edició del 1837) i *Avisos o sian reglas sensillas a un principiant cuyner o cuynera*, de Felip Cirera, publicat el 1857.

## ELS TRACTATS CIENTÍFICS (60 i 80)

En la ciència catalana, encara hi predomina el castellà (només cal recordar la revista científica catalana en castellà «Crónica científica» —1878). Ara bé, alhora que el Modernisme, s'introdueix als Països Catalans un positivisme que produirà fruits notables: a) l'excursionisme científic, estès a partir de la creació de l'Associació Catalanista d'Excursions Científiques —1876—, que, l'any 1891, a través de la fusió amb l'Associació d'Excursions Catalana, esdevé el Centre Excursionista de Catalunya. En el seu si, es genera un seguit de treballs científics redactats en català, com és ara la *Botànica Popular* (1891) de Cels Gomis. Hi destaquen Lluís Marià Vidal i Norbert Font i Sagué —que retrobarem més endavant—, també l'autor d'un *Catàlech Espeleològich de Catalunya* (1897); b) el paper d'ajut a la ciència que acompleix la burgesia catalana, i que podem xifrar, entre d'altres dades, en la creació de l'Ateneu Barcelonès (1860) i del Museu Martorell (1882); i c) el Seminari de Barcelona, on es crea un Museu de Geognòsia i de Paleontologia (1874), l'home central del qual és Jaume Almera i Comes (1845-1914), autor d'unes monografies sobre els *Cancelàrids*, els *Estròmbids* i els *Murícids*, però també hi porta a terme una gran labor mossèn Norbert Font i Sagué (1873-1910.)

Vegem ara les obres que podem destacar en els diferents camps de la ciència:

146

## a) medicina

En aquest camp és remarcable la revista mèdica en català «La Gynecologia Catalana» (1898) i les *Instruccions generals sobre el modo de preservar-se del Còlera-Morbo epidèmich*, de Mateu Seoane (traduït del castellà, 1834).

## b) agricultura

● Narcís Fages de Romà és autor d'una *Cartilla rural en aforismes catalans*.
● «Calendari del Pagès» (hem fet esment dels calendaris en l'apartat dedicat a la premsa).
● *Ressenya en defensa de las vinyas a rabassa morta i modo pràctich d'amillarar-las* (1861).

## c) manescalia

● *Lo remediador o sia còpia d'alguns remeis que usava lo cèlebre Senyor Vehí de la Pera* (1840).

## d) matemàtiques

● *Elements d'Aritmètica i rahó de las principals monedes, pesos i mesuras* (Manresa, 1818).
● *Nova colecció de Reduccions* (Girona, 1841).
● *Manual del nou sistema Mètric Decimal* (B., 1853).

## e) astronomia

● Francesc Roca, *Nou llunari perpètuo portàtil* (Reus, 1834).
● Pere Esperansa, *Pronòstich perpètuo* (c. 1886).

## f)  història natural

• El *Viatje d'un naturalista al rededor del món*,
de Charles Darwin, és traduït al català per Leandre
Pons i Dalmau (1879), amb una interessant introduc-
ció on es parla de la incorporació del català al llen-
guatge científic.

D'altra banda, la llengua catalana comença a dis-
posar de revistes científiques (n'hem donat ja una
mostra dins el camp de la Medicina), fet que pren-
drà una gran consistència a partir de la creació de
l'Institut d'Estudis Catalans (1907). Posem per cas
el bilingüe «Bolletí de la Societat Arqueològica Lul-
liana» fundat el 1885 com a publicació periòdica
de la Societat Arqueològica Lul·liana (Ciutat de Ma-
llorca, 1880).


## ELS ESTUDIS SOBRE LA LLENGUA
(52, 61, 62 i 81)

Una veritable allau de diccionaris, tractats de
barbarismes, ortografies i gramàtiques, així com la
presència sovintejada a la premsa de polèmiques i
campanyes lingüístiques, ens palesen a bastament
la necessitat que els catalans sentien de recolzar-se
en una normativa que regís el català escrit. S'hi ob-
serva, en tot cas, un apassionament per les qüestions
que afecten l'estudi de la llengua.

I)  Reculls lexicogràfics
Al llarg del segle XIX apareix una voluminosa pro-
ducció lexicogràfica sobre la llengua catalana, de la
qual destaquem especialment:
a)  el *Diccionario catalán-castellano-latín* (B.,
1803-05) de Joaquim Esteve, Josep Belvitges i Antoni
Juglà.

148

b) Agustí Antoni Roca i Cerdà, *Diccionario manual de la lengua catalana y castellana* (2.ª ed. B., 1824, alfabètic i d'animals).

c) L. Lamarca, *Ensayo de un diccionario valenciano-castellano* (V., 1838).

d) Pere Labèrnia, *Diccionari de la llengua catalana ab la correspondència castellana i llatina* (B., 1839).

e) Pere Antoni Figuera, *Diccionari Mallorquí-Castellà* (Ciutat de Mallorca, 1840).

f) Joan Josep Amengual, *Diccionario mallorquín-castellano-latín* (Ciutat de Mallorca, 1841) i *Nuevo Diccionario mallorquín-castellano-latín* (C. de M., 1858-78, 2 vols.).

g) Josep Escrig, *Diccionario Valenciano-Castellano* (V., 1851).

h) Joaquim Martí Gadea, *(Novísimo) Diccionario General Valenciano-Castellano* (V., 1891).

i) tres obres cabdals de la lexicografia catalana elaborades al llarg del segle XIX són: 1) l'*Inventari Alart*, inèdit, recull dels materials aplegats per Julià Bernat Alart (1824-80) amb la finalitat de redactar un diccionari històric de la llengua catalana, els quals han estat incorporats al *Diccionari etimològic i complementari de la llengua catalana* del professor Joan Coromines; 2) l'*Inventari Aguiló*, recull de materials dialectals i històrics del català aplegats per Marià Aguiló (1825-97), els quals, acabats de publicar l'any 1934 amb el nom de *Diccionari Aguiló* a cura de Pompeu Fabra i Manuel de Montoliu, foren un suport essencial del *Diccionari General de la Llengua Catalana* de l'Institut d'Estudis Catalans (Pompeu Fabra, 1932); 3) el *Diccionari Balari*, de característiques semblants als dos treballs anteriors, fou publicat posteriorment a la mort de Josep Balari i Jovany (1844-1904) fins a la lletra *G* (1926-36).

## II) Tractats de barbarismes

Retrobem en aquest segle (tot continuant la tradició encetada amb Bernat Fenollar i que té representants significatius però isolats abans d'aquest segle —Carles Ros...), ara amb una força fins aleshores desconeguda, els tractats de barbarismes (bàsicament reculls de mots), els quals pretenen de netejar el català dels castellanismes que s'hi han anat incorporant durant els segles de contacte entre les dues llengües. La perfecció tècnica d'aquestes obres és, a l'inici, ben minsa i només dins el segle XX assoliran una veritable dignitat. Donem-ne unes dades:

a) el 1806 apareix el *Diccionari de termes bàrbaros o antiquats de la llengua catalana*, de Fra Josep Martí; b) el 1835, *Corrección de voces*, de Just Pastor Fuster; c) Antoni Careta i Vidal publica *Porgaduras del idioma* (1880), *Barbrismes i vulgarismes que malmeten la llengua catalana* (1886) i *Diccionari de barbrismes introduhits en la llengua catalana* (1901).

## III) Les qüestions lingüístiques arriben a la premsa

La dèria per arribar a l'establiment d'una normativa que regís l'ús del català escrit anà creixent progressivament els darrers decennis del segle. Tan popular es féu aquest tema que se'n parlà sovint en la premsa catalana. Diverses publicacions periòdiques («L'Aureneta», «Lo Gay Saber», «La Ilustració Catalana», «Revista Catalana», «La Renaixensa»,...) se n'ocuparen d'una manera o altra. Tanmateix, hi ha un gran debat que destaca especialment: D'entrada, l'anomenada polèmica sobre «El català que ara es parla», amb un marc molt ampli, que abraça del teatre (esmentem la participació de Pitarra, Eduard Vidal,...) a la mateixa premsa (repercussions a «El Vapor», a «Lo Verdader Català», etc.); aquesta polèmica es planteja a l'entorn del dilema de prendre com a base per a l'elaboració d'una normativa: a) «El català literari o acadèmic» (amb barreja de dues variants gràfiques, l'occidental (valenciana) i l'oriental, i amb influència del castellà i de la llengua antiga, quan aquesta s'allunya de la solució moderna parlada), o b) «el català que ara es parla» (es basa en la llengua parlada coetàniament i té dificultats a unificar els dialectes i a destriar els estrangerismes). De fet, la polèmica sobre «El català que ara es parla» arribarà al seu moment culminant en la campanya lingüística que Pompeu Fabra i Joaquim Casas i Carbó llançaren des de la revista «L'Avenç», Aquesta campanya, ben seriosa, es desenvoluparà en el marc estricte de «L'Avenç» i s'estendrà entre el juliol de 1890 i el desembre de 1892. Quant a la transcendència de l'esmentada campanya lingüística de «L'Avenç», cal recordar que s'hi introduïren molts dels principis en què es basaran l'any 1913 les *Normes ortogràfiques* de l'Institut d'Estudis Catalans.

IV) Les ortografies

Les ortografies catalanes publicades durant el segle XIX, encara ben provisòries, són: a) *Principis de lectura menorquina* (Maó, 1804) d'Antoni Febrer Cardona; b) *Nueva ortografia de la lengua mallorquina, explicada en español para su más fácil inteligencia* (Ciutat de Mallorca, 1812) d'Antoni M. Servera; c) *Ensaig d'ortografia catalana* (B., 1863), publicada pel Consistori dels Jocs Florals de Barcelona i que és una refosa de dos projectes d'ortografia, un de Milà i Fontanals i l'altre d'Antoni de Bofarull; d) *Ortografía de la lengua catalana* (1884), publicada per la Real Academia de Buenas Letras i a cura, de fet, de Josep Balari i Jovany.

V) Les gramàtiques

Us n'oferim una tria: a) Josep Pau Ballot, *Gra-*

màtica de la llengua catalana (B., 1813); b) Joan Josep Amengual, *Gramática de la lengua mallorquina* (C. de M. 1835); c) Pere Puiggarí, *Grammaire catalane-française* (Perpinyà, 1852); d) Pau Estorch, *Gramática de la lengua catalana* (B., 1857); e) Juli Soler, *Gramática de la lengua menorquina* (Maó, 1858); f) Antoni de Bofarull i Adolf Blanch, *Gramática de la lengua catalana* (B., 1867); g) Pompeu Fabra, *Ensayo de gramática de catalán moderno* (B., 1891), *Contribució a la gramàtica de la llengua catalana* (1898); h) Albert Saisset, *Grammaire catalane* (Perpinyà, 1894); i) Jaume Nonell i Mas, *Gramàtica de la llengua catalana* (Manresa, 1898).

# CAPÍTOL VIII

# 1900-1939. LA REPRESA ES CONSOLIDA

# PRESENTACIÓ

Acabem de veure com al segle XIX la llengua catalana vivia un reviscolament en el seu ús com a vehicle de cultura. N'hi haurà prou a recordar la reaparició de la noveHa i la creació dels primers diaris redactats íntegrament en català. Els primers quaranta anys del segle XX comporten la consolidació del procés encetat el segle anterior. El català esdevé un poderós mitjà d'expressió literària, científica, periodística,... A més, aquest període fornirà a la llengua catalana una normativa estable per al seu ús escrit (1913-32), la qual garbellarà allò propi d'allò estranger, i, dins allò estranger, allò acceptable i allò no acceptable; així mateix, estudiarà els materials dialectals de la llengua (lèxic, morfologia,...) i en farà una tria, tot acceptant en el seu si certes formes (les més esteses o les que podien omplir un buit de l'estadi més comú de la llengua) i rebutjant-ne d'altres (les més marginals o les que podien entrebancar l'ús universal de la llengua literària). El procés, és clar, no s'ha acabat. Mai no s'acaba el procés de normativització d'una llengua. Els nivells coHoquial o familiar (matisacions, substitucions,...) i culte (neologismes,...) de la llengua canvien i arrosseguen en la seva evolució la normativa sobre el seu ús.

D'altra banda, el segle XX ha estat i és un segle de grans transformacions lingüístiques. Així, hi ha tota una part del lèxic en renovació constant (la terminologia científica, les paraules de moda,...) i hi ha un indiscutible procés de decadència del vocabulari vinculat a una tradició que s'adorm (els estris del camp, ...).

Cal esmentar aquí també la immigració de persones no catalanoparlants, que, d'ençà de la fi del segle XIX, es produirà amb una notable força als Països Catalans, especialment al Principat de Catalunya, on esdevindrà un factor transcendental en la vitalitat de l'ús del català i en les interferències lingüístiques al llarg d'aquest segle.

El nostre treball fineix amb la Guerra civil del 1936-39. Per a l'estudi de la situació durant el període franquista, podeu consultar les obres següents: Carles-Jordi Guardiola, *Per la llengua. Llengua i cultura als Països Catalans 1939-1977*, dins aquesta mateixa editorial; Josep Benet, *Catalunya sota el règim franquista*, vol. I; Francesc Vallverdú, *Dues llengües: dues funcions?*

## EL CONTEXT POLÍTIC (44, 51, 56, 68 i 82)

A) Principat de Catalunya

1) El 1906 es constitueix el moviment de Solidaritat Catalana que agrupava tots els partits polítics excepte el lerrouxista i que aconseguirà de dur Enric Prat de la Riba a la Presidència de la Diputació Provincial de Barcelona.

2) El 1909 hi ha una revolta popular contra la mesura d'enviar joves catalans a la Guerra del Marroc, a la qual s'oposava una gran part de la població. Es produeix aleshores la Setmana Tràgica.

3) El 6 d'abril de 1914 se celebra l'assemblea constitutiva de la Mancomunitat de Catalunya, la qual escollí Enric Prat de la Riba com a President. Es tracta del triomf polític del catalanisme social-

ment conservador (la Lliga Regionalista). A partir d'aleshores, es crearan, amb el suport del poder assolit, les bases per a la ràpida normalització de la llengua catalana.

4) L'any 1917 hi ha una vaga general a tot l'Estat, amb grans repercussions polítiques i socials.

5) L'any 1918 la Lliga promourà la primera iniciativa, fallida, contemporània d'un Estatut d'Autonomia per al Principat.

6) Amb el cop d'Estat del general Primo de Rivera (1923) es trenca per primera vegada en aquest segle el procés ascendent de catalanització. Alfons Sala i Argemí substitueix aleshores en la Presidència de la Mancomunitat de Catalunya Josep Puig i Cadafalch. Finalment, és dissolta la Mancomunitat l'any 1925.

7) La crisi social que es manifestà ja clarament l'any 1917 i la crisi política que implicà la Dictadura de Primo de Rivera (1923-30) provocaren la pèrdua de força de l'opció conservadora dins el catalanisme, àmbit en el qual comencen a dominar els grups de caire progressista. En tot cas, la Dictadura afavorí l'afermament del catalanisme com a corrent popular, per raó de la reacció davant l'anticatalanisme de Primo de Rivera.

8) L'any 1931, passats els curts governs del general Berenguer i de l'almirall Aznar, s'instaura la II República espanyola, que durà de la mà la proclamació de l'Estat Català, presidida per Francesc Macià. Immediatament s'elaborarà un projecte d'Estatut a Núria, el qual després serà modificat a les Corts de Madrid fins a esdevenir l'anomenat Estatut del 32. Les forces polítiques progressistes han arribat al poder.

9) L'any 1934, a causa de la victòria involucionista de la dreta a nivell d'Estat, es produeix la revolta d'Astúries i un moviment de caire insurrec-

cional nacionalista al Principat de Catalunya menat per la Generalitat, que, en ser derrotat, serà el motiu de la suspensió de l'Estatut d'Autonomia fins al 36, any en què les esquerres tornen a guanyar les eleccions.

10) El 18 de juliol de 1936 una part de l'exèrcit espanyol s'alça contra la República i esclata la Guerra civil, que durarà fins al 1939. El Principat de Catalunya, com el País Valencià i Menorca, es mantindrà fidel a la República, mentre que a Mallorca i a Eivissa guanyarà ja d'entrada l'aixecament feixista.

B) País Valencià

1) La desfeta política del 1898 (el desastre de Cuba: pèrdua de les colònies de Cuba i Filipines) és la causa de la primera gran crisi de la monarquia restaurada, crisi que ajudarà la pujada dels republicans, especialment a València, on s'estengué el moviment encapçalat per Vicent Blasco Ibáñez.

2) Faustí Barberà i Martí pronuncia l'any 1902 el discurs *De regionalisme i valentinicultura*, considerat el naixement del valencianisme polític.

3) L'any 1907 es crea l'Assemblea Regionalista Valenciana.

4) Els anys 1909, 1911 i 1917 es produeixen sengles situacions de tensió social, vinculables a la Guerra del Marroc i a la crisi arrossaire les dues primeres, la darrera comuna a l'Estat.

5) L'any 1918 es funda la Unió Valencianista, amb un clar lligam ideològic amb la Lliga Regionalista de Catalunya.

6) El 23 arriba la Dictadura i s'atura també aquí el procés de recuperació nacional. Durant els anys anteriors al 23, hi ha un fort creixement del moviment anarco-sindicalista, el qual serà el germen de la Federació Anarquista Ibèrica, creada en la clan-

destinitat a causa de la Dictadura, a València l'any 1927.

7) L'any 1930 es crea l'Agrupació Valencianista Republicana.

8) El 1931, els blasquistes (grup polític a l'entorn de Blasco Ibáñez) llancen la idea de redactar un avantprojecte d'Estatut d'Autonomia per al País Valencià. L'any 1932, l'Agrupació Valencianista Republicana treballa en un nou avantprojecte d'Estatut, però l'assoliment de la victòria electoral a nivell d'Estat per part de la dreta atura el procés.

9) Esclata la Guerra civil, i entre el 27 de novembre de 1936 i el 30 d'octubre de 1937 València esdevé capital de la República, cosa que fa perdre un xic de força a l'activitat catalanista al País Valencià, que queda supeditada als afers de la guerra.

10) Tres nous intents frustrats de llançar un avantprojecte d'Estatut per al País Valencià: el primer és preparat per la C.N.T. l'any 1936; el segon s'aprova en el Segon Congrés d'Esquerra Valenciana l'any 1937; el tercer surt del Congrés Provincial de la Unió Republicana, també l'any 1937.

C) Illes Balears

1) El 1917 es crea a Mallorca el Centre Regionalista de Mallorca, partit nacionalista de caire noucentista, el qual mor l'any 1919 tot integrant-se en el Partit Liberal de Mallorca. Tanmateix, l'opció representada pel Centre Regionalista de Mallorca quedarà recollida en l'aplec d'articles de G. Forteza *Pel ressorgiment polític de Mallorca* (1931).

2) El 1930 es crea el Centre Autonomista de Mallorca, vinculat a la ideologia de la Lliga.

3) El 1931 es redacta a Mallorca un Avantprojecte d'Estatut d'Autonomia de les Illes Balears, del qual Menorca era fora, però no va arribar a ser aprovat.

4) Els anys 1931-36 són d'agermanament, essencialment cultural, amb el Principat (el 1933 es commemorà a les Illes el centenari de l'inici de la Renaixença, el mateix 1933 s'estableix un Comitè de relacions entre Catalunya i Mallorca, el 1936 es crea una Secretaria de la Comunitat Cultural Catalano-Balear,...).

5) L'aixecament feixista triomfa a Mallorca i Eivissa (on comença una època de repressió política i cultural de les tendències progressistes i catalanistes), mentre a Menorca és derrotat.

## EL CONTEXT CULTURAL I L'EVOLUCIÓ DE L'ÚS DE LA LLENGUA (44, 52, 56, 68, 69, 82, 84 i 86)

A) Principat de Catalunya

1) L'any 1906 se celebra a Barcelona el Primer Congrés Internacional de la Llengua Catalana, .al qual assisteixen 3.000 congressistes, entre els quals es troben destacats lingüistes estrangers. La xifra és altíssima tenint en compte el nombre d'especialistes catalans que hi havia aleshores sobre temes de llengua; aquesta participació fa evident l'interès del poble català per la seva llengua. El màxim responsable del Congrés és el mallorquí Antoni M. Alcover.

2) La creació per Prat de la Riba de l'Institut d'Estudis Catalans fa possible l'endegament seriós d'un procés de normalització cultural. L'esperit del noucentisme (catalanisme conservador i institucional) produeix a partir d'aleshores els seus grans fruits (veg. p. ex. *infra Els tractats científics*).

3) Entre els anys 1913 i 1932 es publica la normativa sobre l'ús del català literari comú.

4) Pel que fa a l'Església, el 1900 el bisbe Morgades (de Barcelona) fa una pastoral en què adopta

la decisió que la llengua de la catequesi i de les devocions sigui el català. L'any 1902, J. Torras i Bages, ja bisbe de Vic, demana al comte de Romanones, ministre de la Instrucció Pública, que s'anul·li la prohibició de l'ensenyament del català a les escoles. L'any 1921 s'obre oficialment a Tarragona la possibilitat de rebre el catecisme en català o en castellà, d'acord amb la llengua predominant en la família. Els anys 1923 i 1928 es repeteixen a Tarragona les mesures favorables a l'ús del català en l'àmbit de l'Església, tot i les circumstàncies adverses (la Dictadura de Primo de Rivera). En aquest sentit, és especialment remarcable l'actuació de l'arquebisbe de Tarragona Francesc Vidal i Barraquer (1868-1943).

5) Durant l'etapa 1931-39 es produeix un notable desenvolupament del procés de normalització de l'ús del català al Principat, on esdevé llengua oficial amb el castellà.

6) Quant a l'ensenyament, ja el 29 d'abril de 1931 el novell Govern de la República espanyola fa un decret favorable a l'extensió de la llengua materna en l'ensenyament elemental. D'altra banda, el 18 de setembre de 1936, la Generalitat de Catalunya fa un decret sobre l'ensenyament de les segones llengües a Catalunya, també extensiu del català a l'ensenyament. La realitat és, doncs, que entre els anys 1932 i 1939 el català s'incorporà a l'àmbit educatiu, sobretot a les escoles públiques i a la Universitat Autònoma de Barcelona (1933-39).

7) L'any 1927, en l'exposició de publicacions no periòdiques en català feta a Mallorca, hom presenta 6.000 títols editats d'ençà de l'inici del segle i fins aleshores, amb un predomini absolut del Principat. Així mateix, l'any 1933 es publiquen prop de 750 títols. L'any 1936, prop de 850. Quan l'acabament de la Guerra n'escapça el procés, el món del llibre català havia aconseguit de disposar al Principat d'edi-

torials tan poderoses i populars com Barcino («Col·lecció Popular Barcino», «Els nostres clàssics»,...) o Proa («Biblioteca a tot vent»,...), de la Fundació Bernat Metge, dedicada a la publicació de traduccions catalanes de textos clàssics llatins i grecs, de les publicacions científiques de l'Institut d'Estudis Catalans, de traduccions empreses de la Bíblia,...

8) La ràdio és també un camp on el català viu un fort avenç a partir de la instauració de la República. El mateix any 1931 trobem la Ràdio Associació de Catalunya (creada l'any 1930), primera emissora totalment catalana, dependent de la Generalitat de Catalunya. Així mateix, Ràdio Barcelona i Ràdio Catalunya esdevenen en aquest període emissores bilingües.

B) País Valencià

1) L'any 1904 es funda València Nova (a partir de 1907, Centre Regionalista Valencià), moviment i revista que s'oposa al conservadorisme de Lo Rat-Penat.

2) Apareixen a València en aquest període diverses revistes de caire cultural i polític catalanista: «Lo Crit de la Pàtria» (1907), «Renaiximent» (1908), «Terra Valenciana» (1908), «Pàtria Nova» (1915).

3) El 1914 es crea el Centre de Cultura Valenciana amb la col·laboració de Lo Rat-Penat.

4) L'any 1919 neix la Societat Castellonenca de Cultura, la qual, a partir del 1920, publicà un bilingüe «Boletín de la Sociedad Castellonense de Cultura».

5) Cap als anys vint, destaca la creació de la notable revista cultural «Taula de les Lletres Valencianes» (1927-30) i de l'editorial L'Estel (1928).

6) Entre els anys 1934 i 1938 funciona al País Valencià l'Associació Protectora de l'Ensenyança Valenciana.

7) Un cop començada la Guerra, l'any 1937 la Conselleria de Cultura del Consell Provincial Valencià crea l'Institut d'Estudis Valencians, el qual, amb Josep Puche Alvarez (rector de la Universitat de València), com a president, i Carles Salvador i Gimeno com a secretari general, es compon de: la Secció Històrico-Arqueològica, la Secció Filològica, la Secció de Ciències i la Secció d'Estudis Econòmics.

8) L'any 1937 es funda a València la revista bilingüe «Nueva Cultura».

9) D'altres centres o institucions de l'època de la Guerra són: el «Centro de Estudios Históricos», que va organitzar l'Archivo General del Reino de Valencia; l'«Ateneo Popular Valenciano», etc.

10) Durant la Guerra se celebra a València el II Congrés Internacional d'Escriptors Antifeixistes, on Carles Salvador, en nom del País Valencià, presenta una ponència subscrita per l'Aliança d'Intellectuals per a la Defensa de la Cultura de València,

11) L'any 1938 se celebrà el VII Centenari de la Fundació del País Valencià per Jaume I, el programa del qual, ben ambiciós, va haver de quedar reduït per causa de la Guerra.

12) En el període de la Guerra civil es publiquen en català molt pocs llibres al País Valencià: a) dins la col·lecció «L'Espiga», creada per l'Aliança en Defensa de la Cultura de València, surten només dues obres de prosa poètica: *Elegia a un mort* de Ricard Blasco (1937) i *Elogi de la vagància i una cua* (la *cua* està formada pels *Cinc poemes de la guerra*) de Carles Salvador (1937); b) *Guerra, Victòria, Demà* de Miquel Duran de València (1938), recull de poemes polítics antifeixistes.

C) Illes Balears

1) El mallorquí Antoni M. Alcover, com hem vist en el capítol anterior, llança, l'any 1901, una *Lletra*

*de convit* a tots els catalans perquè col·laborin en la preparació d'un gran *Diccionari de la llengua catalana*. Amb el pas dels anys i especialment després de la mort de Mn. Alcover, l'obra quedarà sota la responsabilitat del menorquí Francesc de B. Moll amb la col·laboració, en un determinat període, del valencià Manuel Sanchis Guarner. El mateix any 1901 neix el «Bolletí del Diccionari de la Llengua Catalana» (1.ª etapa 1901-26, 2.ª etapa 1933-36), a través del qual Alcover anava donant els resultats dels seus estudis, les instruccions als seus col·laboradors, etcètera.

2) Es manté viva la Societat Arqueològica Lul·liana, que passa a l'inici del segle per una situació econòmica difícil, a causa de l'apatia general que els mallorquins sentien aleshores per la cultura. El català s'hi considera una llengua sense sortida.

3) L'any 1923 es crea l'Associació per la Cultura de Mallorca, la qual, en dues èpoques (1.ª: 1923-26 i 2.ª: 1930-36), desenvoluparà una enorme activitat cultural a l'illa de Mallorca. El portaveu de l'Associació serà la revista «La Nostra Terra», des de la qual es faran fermes i constants defenses de la llengua catalana.

4) En aquella època, l'ús oral del català era absolutament general. En un text aparegut a «La Nostra Terra», recollit recentment per Josep Massot i Muntaner, hi podem llegir: «Us costaria de trobar un mallorquí, ni de les classes elevades ni de les populars, que, per cap pretext, deixàs d'usar la seva llengua, no ja en la intimitat, sinó en les seves relacions de societat, per distingides que aquestes siguin.» Tanmateix, enlloc de les Illes el català no arribava amb caràcter general, ni de bon tros, al nivell escrit.

5) L'any 1933 se celebra el centenari de l'inici de la Renaixença. Es tracta d'un fet que cal situar en

164

el marc de l'acostament que en aquella època es produeix entre les Illes i Catalunya, acostament que, a més d'un Comitè de relacions i d'una Secretaria de la Comunitat Cultural Catalano-Balear, generarà un *Missatge als mallorquins* signat per intel·lectuals catalans del Principat i una *Resposta als catalans* elaborada conjuntament per l'Associació per la Cultura de Mallorca i la Societat Arqueològica Lul·liana. Aquest ambient d'acostament, però, tindrà les seves excepcions, això sí, isolades (com és el cas dels germans Villalonga).

6) L'any 1934 neix, de les mans de Francesc de B. Moll, la col·lecció de llibres «Les Illes d'Or».

7) L'any 1935, la Societat Arqueològica fa una Exposició Bibliogràfica de la Història de les Balears.

8) L'aixecament feixista venç a Mallorca i a Eivissa (reconquerida momentàniament pels republicans), on s'inicia un lent però ferm procés de persecució de l'ús escrit del català: a) es força la desaparició del «Bolletí del Diccionari» i de la revista «La Nostra Terra», així com de l'Associació per la Cultura de Mallorca, mentre que es manté el minoritari «Bolletí de la Societat Arqueològica Lul·liana», que castellanitza el seu nom l'any 1938 (és una excepció d'aquest corrent la revista pro-franquista en català «Es Borino Ros» (1936-37); b) es castellanitza totalment la premsa diària; c) es produeixen cremades de llibres; d) a partir de 1937 i fins a l'any 1952 es deixen de publicar revistes en català a les Illes; e) d'ençà de l'any 1938 es deixen de publicar llibres en català. Entre l'any 1937 i el 1938 es publicaren a «Les Illes d'Or» dues reedicions —de M. Costa i Llobera i de B. Ferrà— i els *Rudiments de gramàtica preceptiva per a ús dels escriptors balears* del propi Francesc de B. Moll (1937).

9) Així mateix, s'organitza una campanya per obligar a la retractació pública (setembre de 1936)

els signants mallorquins de la *Resposta als catalans*, que era, com dèiem suara, de confraternització entre mallorquins i catalans del Principat.

10) D'altra banda, a poc a poc, el castellà s'imposa a les Illes sota el domini feixista com a única llengua de l'administració.

11) El 5 de novembre de 1936, el governador civil ordena que es facin totes les classes en castellà a tots els centres d'ensenyament. Els mateixos dies, es mana de posar tota la retolació pública en castellà.

12) Immediatament, es prohibeix l'ús del català

13) Nogensmenys, el català es manté com a llengua coŀloquial i en l'Església.

## L'ÚS LITERARI (77, 82, 84 i 85)

### A) Principat de Catalunya

És difícil de donar una síntesi clara de la producció literària en català al Principat al llarg d'aquest període per raó de la seva quantitat i de la seva diversitat. Atès que aquesta matèria ja queda prou estudiada per la història de la literatura, ens limitarem a donar-vos-en les dades més representatives:

1) *El noucentisme* és el corrent que dominarà durant els primers anys del segle la vida literària catalana al Principat. Es tracta d'un corrent que busca una situació de normalitat europea, que es recolza en les institucions polítiques i que és més aviat d'un ordre estetitzant, classicista i poc popular. El naixement d'aquest corrent se situa l'any 1906 i a partir del *Glosari* d'Eugeni d'Ors, iniciador i ideòleg del moviment.

Les figures més destacades del noucentisme són:

a) Eugeni d'Ors, «Xènius» (1881-1954), autor del *Glosari* (seguit de notes publicades al diari «La Veu de Catalunya»), del qual formen part la novel·la *La ben plantada* (1911), les narracions *Gualba, la de mil veus* (1925), *La vall de Josafat* (1918), etc.; b) Jaume Bofill i Mates, «Guerau de Liost» (1878-1933), autor d'un extensa obra poètica, de la qual podem triar *La muntanya d'amatistes* (1908), *Selvatana amor* (1920), *Ofrena rural* (1926), *Sàtires* (1927); c) Josep Carner (1884-1970), considerat l'autor més representatiu de la poesia catalana coetània: *Els fruits saborosos* (1906), *Auques i ventalls* (1914), *Nabí* (1941) (poesia); *Les bonhomies* (1925) (prosa); *El giravolt de maig* (1928) (teatre); d) Josep M. López-Picó 1886-1959), autor, entre d'altres, de les obres poètiques següents: *L'ofrena* (1915), *Elegia* (1925), *Job* (1948); e) Carles Soldevila (1892-1967), autor de les novel·les *Fanny* (1930) i la trilogia *Els anys tèrbols* (*Moment musical* (1936), *Bob és a París* (1952) i *Papers de família* (1960), dels *Fulls de dietari*, publicats a «La Publicidad» i recollits en català l'any 1922, i de diverses obres de teatre, com és ara *Els milions de l'oncle* (1927); f) Carles Riba (1893-1959) és la màxima figura de la segona generació del noucentisme, erudit i escriptor, tradueix magistralment *L'Odissea* (1919, 1948) i publica, entre d'altres textos, alguns reculls de poesia: *(Primer llibre d')Estances* (1913-19), *(Segon llibre d')Estances* (1930), *Elegies de Bierville* (1930), etc.; g) Clementina Arderiu (1889-1976), poetessa, esposa de Carles Riba, és autora de *L'alta llibertat* (1920), *Sempre i ara* (1946), etc.; h) Ventura Gassol (1893-1980), poeta, autor de *Les tombes flamejants* (1923); i) Miquel Llor (1894-1966), prosista, autor de novel·les com *Laura a la ciutat dels sants* (1931) i *Joc d'infants* (1950); j) Marià Manent (1898), autor en poesia de *L'ombra i altres poemes* (1931),

*La ciutat del Temps* (1961), i en prosa de *Montseny-Zodíac d'un paisatge* (1948).

2) L'*avantguardisme* és el segon corrent literari més important del Principat els primers anys del segle. Comporta un trencament amb les formes poètiques tradicionals i una voluntat d'originalitat creativa. Hi trobem escriptors tan notables com Josep V. Foix (1893), col·laborador, i en certs casos director, de diverses revistes literàries: «Trossos» (1916-18), «L'Amic de les Arts» (1926-29), «Quaderns de poesia» (1935-36), etc., és autor d'obres poètiques en prosa, com és ara *Gertrudis* (1927) o *Krtu* (1932), i de reculls de poesia, com és ara *Sol i de dol* (1947), *On he deixat les claus...* (1953); Joaquim Folguera (1893-1919), autor dels llibres de poemes *Poemes de neguit* (1915) i *El poema espars* (1917); o Joan Salvat Papasseit (1894-1924), la gran figura del corrent avantguardista, inspirador de la revista «Un Enemic del Poble» (1917-19), publicà els llibres de poemes *Poemes en ondes hertzianes* (1919), *L'irradiador del port i les gavines* (1921), *El poema de la rosa als llavis* (1923), una part important de la seva prosa fou recollida a *Mots-propis i altres proses* (1975); o, encara, Joan Oliver, «Pere Quart», (1899), autor dels llibres de poemes *Les decapitacions* (1934), *Bestiari* (1937), *Oda a Barcelona* (1939), *Saló de tardor* (1947), durant la Guerra civil estrenà amb èxit l'obra de teatre *La fam* (1938).

3) *Al marge del noucentisme i de l'avantguardisme* trobem un seguit d'autors amb una vida literària essencialment independent: Joan Puig i Ferreter (1882-1956), novel·lista, autor d'*Aigües encantades* (1907), *El cercle màgic* (1929), *El pelegrí apassionat*, 12 vols. (1938-52), etc.; Josep Sebastià Pons (1886-1962), escriptor contemporani fonamental de la Ca-

talunya Nord, autor de *Canta perdiu* (1925), *Cantilena* (1937), *Conversa* (1950); Josep M. de Sagarra (1894-1961), poesia: *Cançons de rem i de vela* (1923), *El mal caçador* (1925), etc., teatre: *Les llàgrimes d'Angelina* (1929), *L'Hostal de la Glòria* (1931), etc.; de Josep Pla (1897-1981), l'autor més prolífic de la lit. catalana contemporània, esplèndid narrador, destaquem-ne *Cartes de lluny* (1928), *Viatge a Catalunya* (1934), *Cadaqués* (1947), *Un senyor de Barcelona* (1951), *El carrer estret* (1951), *L'Empordanet* (1954), *El quadern gris* (1966); Tomàs Garcés (1901), poeta, autor de *L'ombra del lledoner* (1924), *El somni* (1927), *Caçador* (1947), etc.

4) *La generació de la guerra civil.* En destaquem Màrius Torres (1910-42), les *Poesies* del qual foren publicades pòstumament a Mèxic.

B) País Valencià

Al País Valencià es desenvolupa al llarg dels primers anys del segle, d'una banda una continuació menor de la tradició jocfloralesca de Teodor Llorente, de l'altra un cert modernisme literari representat per autors força més notables. Destaquem-ne el gran narrador Eduard López-Chávarri (1871-1970), autor de *Qüentos lírics* (1907), *De l'horta i de la muntanya* (1916) i *Proses de viatge* (1929); Miquel Duran i Tortajada, «Miquel Duran de València», (1883-1947), poesia: *Cordes vibrants* (1910), *Himnes i poemes* (1916), *Cançons valencianes* (1929), *Guerra, Victòria, Demà* (1938), teatre: *L'amor i els lladres* (1926); Josep M. Bayarri (1886-1971): *Precs de pau* (1915); Daniel Martínez Ferrando (1888-1953), poeta, autor de *Visions de l'Horta* (1916); Jesús Ernest Martínez Ferrando (1891-1965), un dels narradors valencians de més altura, publicà la noveŀla *Una dona s'atura en el camí*

(1935) i els reculls de narracions menors *Les llunya-*
*nies suggestives* (1918), *Primavera inquieta* (1926),
*El petit Rovira* (1936); etc.; Carles Salvador i Gime-
no (1893-1955), gran personalitat de la cultura valen-
ciana i valuós poeta: *Rosa dels Vents* (1930), *El bes*
*als llavis* (1934), etc., publicà, a més, un interessant
llibre de prosa poètica *Elogi de la vagància i una*
*cua* (1937);...

Els autors literaris valencians de l'època s'agru-
pen en un seguit de revistes, que, cronològicament,
tenen el seu inici en «El cuento del Dumenche»
(1908) i que troben la seva fita més considerable en
la «Taula de les Lletres Valencianes (1927-30).

Pel que fa al teatre, hi ha un clar predomini
castellà, que només deixa al català un àmbit de caire
costumista, circumstància que es mantindrà o agreu-
jarà durant la Guerra civil. Quant als locals, cal
remarcar, cap als anys trenta, els teatres Alkázar i
Nostre Teatre. Pel que fa als autors, recordem-ne
Maximilià Thous (1875-1947), autor de *La bella Co-*
*dony* (1916), *A la vora del riu* (1919); de l'etapa de
la Guerra, els autors de sainets d'actualitat Pacho
Barchino: *València a palpes, Els fills del poble*, etc.;
Julià Ribas: *Avant, sempre avant!*

C) Illes Balears

1) La producció literària a les Illes es pot situar
en funció de dos grans espais: l'espai ocupat per la
literatura culta (la primera i la segona Escola Ma-
llorquina, descendents de Miquel Costa i Llobera i de
Joan Alcover) i l'espai ocupat per la literatura po-
pular (autors de glosses).

2) L'Escola Mallorquina de literatura disposà
de dos grans portaveus: l'«Almanac de les Lletres»,
fundat l'any 1921 per Joan Pons i Marquès i per
Guillem Colom i Ferrà, vinculat a una literatura

culta més aviat popularitzant, i la gran revista «La Nostra Terra» (1928-36), dirigida per Francesc Vidal i Antoni Salvà, revista que obrí també les portes a les generacions d'avantguarda (Miquel Àngel Colomar,...).

3) Les personalitats més representatives de la literatura illenca de l'època són generalment mallorquins, amb certes excepcions, com la del menorquí Nicolau M. Rubió i Tuduri (1891), autor d'obres de teatre com *Midas, rei de Frígia* (1935) o *Un sospir de la llibertat* (1936). De l'Escola Mallorquina, esmentem-ne Maria Antònia Salvà (1869-1958), poetessa extraordinària, publicà *Espigues en flor* (1926), *El retorn* (1934), etc.; Llorenç Riber (1882-1958), prosa: *La minyonia d'un infant orat* (1935); Miquel Ferrà (1885-1947), autor dels llibres *Cançó d'ahir* (1917) i *La rosada* (1919); Guillem Colom (1890-1979), poeta, autor de *De l'alba al migdia* (1929); etc.

4) Dos casos a part bastant notables són Llorenç Villalonga (1897-1980) d'una banda, i Bartomeu Rosselló-Pòrcel (1913-38) de l'altra. Llorenç Villalonga en l'època que ens ocupa era un escriptor que usava generalment el castellà, llevat d'un cas isolat i alhora preciós: *Mort de dama* (1931). Pel que fa a Bartomeu Rosselló-Pòrcel, pertanyia de manera destacada a una generació jove en el moment d'esclatar la Guerra civil i la seva mort primerenca escapça una obra que hauria estat sens dubte molt més important. Tot i així, l'obra poètica que deixà és d'un gran valor: *Nou poemes* (1933), *Quadern de sonets* (1934), *Imitació del Foc* (1938).

5) Quant a la literatura popular, com avançàvem més amunt, cal destacar-ne les glosses populars sobre temes d'actualitat escrites per autors com Andreu Casellas, Miquel Duran, Bartomeu Guasp,... L'autor de literatura popular més destacat de l'època és Jordi Martí i Rosselló, «es Mascle Ros» (1891-

1973), que crearà el setmanari humorístic bilingüe
«Foch i Fum»; és autor, a més, d'obres de teatre
com *El gènit de ses femelles, En Nicolau Marieta*,
etcètera.

## LA PREMSA (69, 78, 79 i 88)

L'extraordinari volum de la premsa catalana de
l'època ens obliga a reduir els nostres comentaris
a la premsa diària publicada íntegrament en català.
De fet, a través de l'exposició que hem fet fins ara,
han anat apareixent moltes de les revistes culturals
més significatives de l'època. Així mateix, en aquest
període trobem publicacions periòdiques no diàries
sobre temes diversos: excursionisme, economia, fo-
tografia, cinema, infantils (on destaca especialment
«En Patufet» —1904-38—, dirigida per Josep M.
Folch i Torres), humorístiques (amb èxits tan popu-
lars com el «Papitu» —1908-37—, dirigida per Feliu
Elias, «Apa», i «El Be Negre» —1931-36—, editada
per Màrius Gifreda i dirigida per Josep M. Planes),...
Si ens cenyim ja a la premsa diària, en podem
xifrar el creixement amb dades de l'ordre de les se-
güents: l'any 1927 es publiquen 11 diaris en català,
l'any 1923 se'n publiquen 27. Quant al territori on
s'editen els diversos diaris, cal avançar d'entrada
que, llevat d'un cas isolat a València, tots es publi-
quen al Principat. Això no vol dir, tanmateix, que
ni al País Valencià ni a les Illes no es faci premsa en
català. Només cal recordar, cronològicament, al País
Valencià les següents publicacions periòdiques no
diàries: 1906, «València Nova»; 1907, «Lo Crit de la
Pàtria»; 1908, «Renaiximent»; 1915, «Pàtria Nova»;
1927, «Taula de les Lletres Valencianes»; 1930,
«Avant» (setmanari d'esquerres); 1932, «El Camí»
(setmanari de centre); 1933, «Acció» (setmanari de
dretes). A les Illes, a més de les publicacions bilin-

gües «Sóller», «Mallorca» i «El Día» (diari), trobem notables publicacions periòdiques catalanes: el «Bolletí de la Societat Arqueològica Lul·liana», el «Bolletí del Diccionari de la Llengua Catalana» (1901), «La Veu de Mallorca» (1917), «Llevant» (1917), «Almanac de les Lletres» (1921), «La Nostra Terra» (1921)...

En l'estudi del segle XIX havíem constatat l'aparició dels primers diaris en llengua catalana, dels quals tres viuen el canvi de segle: «La Renaixensa» (B., 1881-1905), «Lo Somatent» (Reus, 1886-1903) i el portaveu de la Lliga «La Veu de Catalunya» (B., 1899-1937).

Farem tot seguit un repàs dels diaris més importants editats en l'època 1900-39, distribuïts per poblacions:

1) *Barcelona*: a) «El Poble Català» (1906-18), catalanista i d'esquerres, vinculat al Centre Nacionalista Republicà; b) «La Publicitat» (1922-39), vinculat a Acció Catalana, de caire moderat i centrista; c) «El Matí» (1929-36), de caire catòlic independent; d) «Full Oficial del Dilluns» (1931-39); e) «L'Opinió» (1931-34), diari de l'Esquerra Republicana de Catalunya fins al 33, després del Partit Nacionalista Republicà d'Esquerres; f) «La Humanitat» (1931-39), a partir del 33 portaveu de l'Esquerra Republicana de Catalunya; g) «La Rambla» (1936-39), d'ença del 37 vinculat al P.S.U.C.; h) «Treball» (1936-39), diari del P.S.U.C.; i) «Avant» (1936), diari del Partit Obrer d'Unificació Marxista; j) «Diari de Barcelona» (1936-37), portaveu d'Estat Català; k) «Diari de Catalunya» (1937-39), continuació de l'anterior i també d'Estat Català. Com podeu veure, la densitat de diaris en català creixia amb el pas dels anys, en lluita amb els diaris castellans coetanis, amb els quals s'arribà pràcticament a un equilibri durant la Guerra civil. Tot això pel que fa a Barcelona. A les comarques, el

castellà es trobava en una clara situació d'inferioritat respecte al català en l'àmbit de la premsa.

2) *Lleida*: «La comarca de Lleyda» (1900-08), nacionalista; «El Pallaresa» (1918-19), conservador; «La Jornada» (1930-31); «La Veu del Segre» (1933-34), conservador; «La Lluita» (1932), d'esquerres.

3) *Sabadell*: «Gazeta del Vallès» (1908-17), conservador; «Diari de Sabadell» (1910-36); «La Veu de Sabadell» (1924-29), conservador; «La Ciutat» (1932-34), conservador; «El Poble» (1932-34), progressista.

4) *Manresa*: «La Veritat» (1901-04), conservador; «El Pla de Bages» (1904-37), conservador; «Bages Ciutat» (1909-19), progressista; «El Dia» (1929-38), progressista.

5) *Reus*: «Foment» (1909-36), d'esquerres; «Reus» (1925-28); «Les Circumstàncies» (1930-36); «Diari de Reus» (1930-38).

6) *Girona*: «Diari de Girona» (1932-36), «L'Autonomista» (1933-39).

7) *Terrassa*: «El Dia» (1918-39), conservador; «L'Acció» (1933-39), d'esquerres.

8) *Igualada*: «Gaseta comarcal» (1927-31); «Diari d'Igualada» (1931-36), catòlic.

9) *Vic*: «Diari de Vich» (1930-33), d'Acció Catalana.

10) *Tortosa*: «Ara» (1935-36); «Lluita» (1936-38); «El Poble» (en català de 1937 a 1939).

11) *Tarragona*: «Catalònia» (1935-36), conservador.

12) *València*: «L'Hora» (1936).

13) *Mataró*: «Diari de Mataró i la comarca» (1919-20).

Durant la Guerra civil (1936-39), es produeix una mena especial de premsa diària d'acord amb les circumstàncies: «Full oficial del Comitè del Front Popular» (Sabadell, 1936-37), «Front» (Girona, 1936), «Combat» (Girona, 1936-37), «Llibertat» (Mataró, 1936-39).

## L'ÚS ADMINISTRATIU (36)

D'ençà de l'inici del segle es fa palesa cada vegada amb més força la demanda que el català fos considerat un idioma oficial. N'és una bona mostra el Primer Congrés Internacional de la Llengua Catalana (1906), que donà una empenta considerable a la normalització de la nostra llengua.

Quan, al Principat de Catalunya, Prat de la Riba arriba a presidir primer la Diputació de Barcelona i després la Mancomunitat, s'hi inicia un clar procés de catalanització administrativa, tant pel que fa a l'ús del català a totes les publicacions de la Mancomunitat (o bé només en català, o bé en català i en castellà), com per la creació de l'Escola de Funcionaris d'Administració Local (1914).

Tanmateix, l'any 23, amb la Dictadura de Primo de Rivera, es produeix una forta reculada del procés, el qual tornarà a avançar amb l'arribada de la II República i especialment a partir de l'Estatut del 32. Testimonis de la nova situació seran, per exemple:

a) el *Decret que regula l'ús de la llengua catalana en els tribunals* aprovat el 3 de novembre de 1933 a proposta del Conseller de Justícia Pere Coromines (per aquest Decret, el català té els mateixos drets d'ús que el castellà en els jutjats, tribunals i audiències de Catalunya); b) el *Formulari de documents en català* de Cèsar August Jordana (1931), director de l'oficina de correcció de la Generalitat de Catalunya. En la línia de l'obra citada de Cèsar August Jordana, podem esmentar el *Formulari català de documents notarials* de J. Comes (1931) i el *Diccionari jurídic català* de Rafael Folch i Capdevila i Lluís Serrallonga i Guasch (1934).

Pel que fa a l'ús real, la mateixa Generalitat ens en dóna mostres importants: *Butlletí de la Generalitat de Catalunya* (1931-33), després *Butlletí Oficial de la Generalitat de Catalunya* (1933-36) i després encara *Diari Oficial del Govern de la Generalitat de Catalunya* (1936-39). Posseïm també evidències de la catalanització, tot i que no arribà a ser absoluta, del conjunt d'àmbits administratius.

D'altra banda, a les Illes, el març de 1932, els funcionaris dels municipis mallorquins van ser obligats a conèixer l'ús escrit del català, i l'Ajuntament de Palma de Mallorca l'usava per als seus edictes. A partir del 36, amb la victòria feixista a Mallorca el procés es capgira.

## L'ÚS CIENTÍFIC (80)

L'assoliment del poder polític per part de les forces catalanistes al Principat de Catalunya provoca una clara embranzida de l'ús del català en àmbits científics. La situació al País Valencià i a les Illes, si bé és d'avenç, no és comparable a la que comportarà dins el Principat el fet de la victòria de la Solidaritat Catalana l'any 1907, que durà Prat de la Riba a la Presidència de la Diputació de Barcelona, fet consolidat, encara, per la creació de la Mancomunitat de Catalunya.

Tanmateix, uns anys abans del 1907, ja existia un clar neguit de treball en aquesta direcció. En són mostres: a) la creació dels Estudis Universitaris Catalans, els quals van començar a funcionar el 16 d'octubre de 1903 i produïren la revista del seu mateix nom a partir de l'any 1907 (fins al 1917-18 en la seva primera etapa, després represos l'any 1926); b) la Institució Catalana d'Història Natural (1899), amb les seves publicacions diverses: el Butlletí (1901), les Memòries i els Treballs (1915); la I.C.H.N. s'integrà a l'Institut d'Estudis Catalans l'any 1917.

Ara bé, el punt clau del procés és, sens dubte, el naixement, al si de la Diputació Provincial de Barcelona, el mateix any 1907, de l'Institut d'Estudis Catalans, el qual esdevindrà aviat un veritable generador de coneixements d'alta ciència expressats en la llengua catalana.

Si ens entreteníem ara a revisar la tasca feta per l'Institut d'Estudis Catalans entre els anys 1907 i 1939, i en fèiem una distribució per àmbits de coneixement, quedaríem immediatament aclaparats davant la magnitud de l'obra realitzada. Perquè en tingueu un tast, us presentem una mostra, que ens sembla representativa, de les dades més importants de la ciència en català del període que ens ocupa:

A) Biologia

1) Creació, l'any 1912, en el si de l'I.E.C. (l'Institut d'Estudis Catalans), de la Societat de Biologia de Barcelona, el primer president de la qual fou August Pi i Sunyer. La Societat publica els «Treballs de la Societat de Biologia» (1913).

2) Publicació per la Secció de Ciències de l'I.E.C. de la *Flora de Catalunya*, a cura de Joan Cadevall, Àngel Sallent i Pius Font i Quer (primer vol., 1915; sisè vol. i últim, 1937).

3) Creació de l'Institut Botànic de Barcelona (1935).

4) Publicació per la Secció de Ciències de l'I.E.C. de la *Fauna de Catalunya* (Malacologia i Entomologia) sota la direcció de Josep M. Bofill i Pichat.

5) Publicació del llibre de Cels Gomis *Zoologia popular* (1910).

B) Geologia

1) En aquest àmbit, la tradició científica catalana del segle XIX era molt remarcable (Jaume Almera,...) i troba la seva figura central en Norbert Font i Sagué (1874-1910), home vinculat a l'excursionisme científic, a l'escola geològica del Seminari de Barcelona i professor de geologia als Estudis Universitaris Catalans, el qual publicà, entre d'altres obres, un *Curs de geologia dinàmica i estratigràfica aplicada a Catalunya* (1905), el tractat *Formació Geològica de Catalunya* dins el volum primer de la *Geografia General de Catalunya* de Francesc Carreras i Candi (1908) i una *Història de les Ciències Naturals a Catalunya del segle IX al segle XVIII* (1908).

2) Una altra personalitat notable de la geologia catalana del segle XX és Marià Faura i Sans (1883-1941), director del Servei del Mapa Geològic de Catalunya (1916-23).

C) Medicina

1) Creació d'un seguit d'institucions i de revistes, entre les últimes de les quals podem esmentar: «Annals de l'Acadèmia de Medicina de Barcelona»

(1907), «Butlletí de la Societat Catalana de Pediatria» (1928), «Treballs del Servei Tècnic del Paludisme» (1915).

2) Publicació del *Diccionari de la medicina* (1936), a cura de Manuel Corachan i Garcia, una obra d'una gran perfecció i d'una gran utilitat per a l'extensió del català com a llengua de les matèries mèdiques.

3) Publicació de diverses monografies científiques, com és ara *La Infecció* (1918) d'August Pi i Sunyer, o *Els ferments defensius de la immunitat* de Ramon Turró.

D) Ciències físiques, químiques i matemàtiques

1) Creació de la Societat Catalana de Ciències Físiques, Químiques i Matemàtiques, filial de l'I.E.C., fundada l'any 1931 i presidida per Josep Estalella i Eduard Fontserè; aquesta Societat va publicar un «Butlletí» i uns «Treballs».

2) Creació, l'any 1915, de l'Institut de Química Aplicada, dirigit per Josep Agell i Agell, dependent de la Mancomunitat de Catalunya; fou dissolt per la Dictadura.

3) La Mancomunitat de Catalunya va crear, l'any 1917, l'Institut d'Electricitat Aplicada, que l'any 1919 esdevé Institut d'Electricitat i Mecànica Aplicades, dirigit per Esteve Terradas, director, a més, de la *Col·lecció de cursos de Física i Matemàtica* de l'I.E.C., i autor del llibre *Els elements discrets de la matèria i la radiació* (1910).

4) Pel que fa a la meteorologia, la ciència catalana disposava aleshores de dues figures excepcionals: a) Rafael Patxot i Jubert (1872-1964), el qual publicà l'any 1909 el tractat *Meteorologia catalana. Observacions de Sant Feliu de Guíxols*, i l'any 1912 *Pluviometria catalana. Resultats del quinquenni 1906-*

179

*1910*; així mateix treballà perquè es fes l'*Atlas Internacional dels Núvols* (redactat en francès, alemany, anglès i català). b) Eduard Fontserè (1870-1970), autor dels treballs *Resum de meteorologia* (1919), *Instruccions Meteorològiques per als observatoris rurals* (1923), *Atlas elemental dels núvols de Catalunya* (1925), *Les estacions meteorològiques de muntanya fundades per la Generalitat amb motiu de l'any polar 1932-33* (1933), *Elements de ciències físiques i naturals* (1935), *L'anomalia tèrmica de la Plana de Vich* (1937), *Assaig d'un vocabulari meteorològic català* (1948). Així mateix, creà, a través de l'I.E.C., l'Estació Aerològica de Barcelona (1913), el Servei Meteorològic (1911), i promogué la creació de l'Observatori Fabra (1905), que fou dirigit per Joan Comas i Solà, home clau de la Societat Astronòmica d'Espanya i Amèrica (1911).

E) Humanitats

1) Geografia: a) Creació, dins l'I.E.C., de la Societat Catalana de Geografia (1935), el primer president de la qual fou Pau Vila (1881-1980), autor d'una extraordinària obra geogràfica (p. ex.: *Resum de Geografia de Catalunya*, 2 vols., 1928), que té una de les seves realitats més admirables en la seva aportació a la divisió territorial del Principat feta per la Generalitat de Catalunya; b) Francesc Carreras Candi (1862-1937), autor d'una *Geografia General de Catalunya* (c. 1908-18) i d'una *Geografía General del Reino de Valencia* (1922).

2) Història: a) Grans personatges de la historiografia catalana d'aquest període són: Ferran Soldevila (1894-1971), *Història de Catalunya*, 3 vols., 1934-35; Antoni Rovira i Virgili (1882-1949), *Història Nacional de Catalunya*, 7 vols., 1922-34; Jaume Vicens i Vives (1910-60), *Ferran II i la Ciutat de Barcelona*,

2 vols., 1936-37; Pere Bosch i Gimpera (1891-1974), *Prehistòria catalana* (1919); b) Societats i publicacions periòdiques: la Societat Arqueològica Tarraconense (1844) catalanitza el seu «Boletín Arqueológico» (1901), el qual esdevé aleshores «Butlletí Arqueològic» (1921-36); l'Associació Catalana d'Antropologia, Etnologia i Prehistòria (1923) publica un «Butlletí» (1923-26).

3) Filologia: a) Fundació Bernat Metge (1923), responsable d'una gran col·lecció de versions catalanes de textos clàssics grecs i llatins, dirigida per Joan Estelrich; Carles Riba hi desenvoluparà un paper excepcional (l'any 1939 la col·lecció havia assolit la xifra de 84 volums); b) Els Nostres Clàssics (1924), col·lecció de textos medievals catalans que, dirigida per Josep M. Casacuberta, l'any 1939 havia assolit la xifra de 52 volums (vegeu també l'apartat *Els estudis sobre la llengua* dins aquest mateix capítol).

4) Filosofia: l'any 1923 es crea en el si de l'I.E.C. la Societat Catalana de Filosofia.

F) General i diversos

1) Revista «Ciència» (1926-33), dirigida per Ramon Peypoch.

2) Josep Puig i Cadafalch, amb la col·laboració d'Antoni de Falguera i de Josep Goday, publica *L'arquitectura romànica a Catalunya* (1909-18).

3) L'any 1932 es crea l'Institut de Ciències Econòmiques, el qual publicarà un *Assaig d'economia política* (1932-34) i un «Butlletí» (1937).

G) País Valencià i Illes Balears

1) Al País Valencià, cal destacar un parell de publicacions culturals bilingües: a) el fonamental «Boletín de la Sociedad Castellonense de Cultura»

(1920-36); b) els «Anales del Centro de Cultura Valenciana» (1928), dels quals el director degà fou Josep Sanchis Sivera i el director de publicacions, Teodor Llorente.

2) A les Illes, és especialment remarcable l'Associació per la Cultura de Mallorca (1923), que publicà a partir del mateix any un «Butlletí» (1923-25) i organitzà un seguit notable de conferències en català, entre les quals podem esmentar: Miquel Forteza, *La teoria de la relativitat d'Einstein*; Josep Sureda i Blanes, *El sistema periòdic dels elements químics;* Amadeu Crespí, *Nocions de radioactivitat;*... Així mateix, continuà les seves activitats la Societat Arqueològica Lul·liana.

## ELS ESTUDIS SOBRE LA LLENGUA
(44, 52, 61, 89 i 90)

En un primer moment, cal destriar els treballs adreçats a la preparació d'una normativa i la polèmica que això va produir, dels estudis de tipus descriptiu i històric sobre la llengua.

A) La normativització del català literari arrenca, com hem vist en el capítol anterior, d'una forta necessitat que creixia alhora que la cultura catalana anava reprenent vitalitat i maduresa. Aviat descobrim uns primers assaigs i les primeres discussions a la premsa. El resultat de tot aquest esforç començarà a fer-se real a partir de l'any 1911, quan neix la Secció Filològica de l'Institut d'Estudis Catalans, d'on ix una proposta de *Normes ortogràfiques*, que, després de ser pactada en el si de l'I.E.C., serà aprovada el 24 de gener de 1913.

L'any 1917, Pompeu Fabra, l'home clau del procés des de la Campanya de «L'Avenç» i principal impulsor de les dites *Normes ortogràfiques*, publicarà el *Diccionari ortogràfic* de l'I.E.C. Un any després és editada, a cura de Pompeu Fabra, la *Gramàtica catalana* (oficial) de l'I.E.C. Posteriorment a aquesta fita, caldrà esperar l'any 1932 per veure clos el camí iniciat l'any 1913, ara amb la publicació del *Diccionari General de la Llengua Catalana*, dirigit també per Pompeu Fabra. Encara, els anys 1954 i 56 s'imprimeixen les *Converses filològiques* de Pompeu Fabra, textos de divulgació i d'aclariment de la normativa publicats prèviament a «La Publicitat» (1919-20 i 1922-28) i aplegats abans en d'altres reculls.

Tot plegat, es tracta d'una obra admirable, bastida damunt els criteris científics més rigorosos del moment i amb una clara voluntat de comprensió de les diverses realitats dialectals i de les necessitats de l'idioma. A hores d'ara, la normativa aprovada aleshores continua vigent.

Ara bé, la normativa adoptada per l'I.E.C., sobretot la que afectava l'ortografia, fou molt discutida. L'esperit polemista que descobríem força temps abans no es va apagar de sobte amb l'aprovació de la normativa, ans va arribar potser a tenir més violència que mai. Malgrat això, es pot dir que cap als anys trenta la normativa ja es trobava en un estat d'acceptació general als cercles literaris influents al País Valencià i a les Illes, així com a l'Acadèmia de Bones Lletres de Barcelona. Perquè us adoneu del volum de la crítica a la normativa, us en comentarem breument aquelles dades que ens semblen més significatives:

1) A la Catalunya Nord només coneixem l'article de Louis Pellissier, *Sobre l'ortografia catalana* («Revue Catalane», 1914, pàgs. 194-5, Perpinyà).

2) A la Catalunya estricta, o Principat, es manifesten contràries a la normativa adoptada diverses personalitats, algunes de les quals arribaren a l'ex-

trem de fundar una secessionista Acadèmia de la Llengua Catalana a Barcelona (1915), de vida efímera i que elaborarà unes *Regles ortogràfiques* (1916). En general, però, malgrat el desacord, la major part dels sectors crítics no trigaran a practicar i a estendre la normativa unitària, com, per exemple, el Pare Josep Calveres.

3) Al País Valencià és on la reacció esdevingué més gran. Destaquem-ne el Pare Lluís Fullana (1871-1948), el qual si bé en els seus primers treballs manifestava un esperit clarament unificador (*Característiques catalanes usades dins el Regne de València* —1907—, per tant, abans de les *Normes ortogràfiques* de l'I.E.C.), després de la publicació de les normes oficials se n'allunyarà ràpidament: *Gramàtica elemental de la Llengua Valenciana* (1915), *Compendi de Gramàtica Valenciana* (1922). A més, participà en l'esmentada Acadèmia de la Llengua Catalana.

La segona oposició de relleu a la normativa de l'I.E.C. vingué de Josep M. Bayarri, autor, l'any 1922, d'un *Vocabulari Ortogràfic Valencià*.

Cal dir, nogensmenys, que també s'aixecaren veus al País Valencià en defensa de la normativa de l'I.E.C., com és ara la de Bernat Ortín Benedito, *Gramàtica Valenciana. Nocions elementals per a escoles de primeres lletres* (1918), veus que obtingueren un triomf excepcional en ser acceptades públicament, en un acte celebrat a la Societat Castellonenca de Cultura el desembre de 1932, unes *Normes ortogràfiques* que eren les de l'I.E.C. amb lleus retocs. Tan clara fou la victòria del sector unificador, que arrossegà el Pare Fullana, el qual signà l'acceptació de les *Normes*, malgrat que més endavant se'n tornà a allunyar. El divulgador més formidable de la normativa unitària al País Valencià durant aquest període fou Carles Salvador i Gimeno (1893-1955), autor de diversos tractats d'ortografia (*Vocabulari Ortogràfic Valencià* —1933—, *Ortografia Valenciana amb exercicis pràctics* —1934—), morfologia (*Lliçons de Morfologia Valenciana* —1935—) i temes gramaticals en general (*Qüestions de llenguatge* —1936—). Recordem aquí també l'obra de Josep Giner *La conjugació dels verbs en valencià* publicada a Castelló l'any 1933.

4) A les Illes, la discrepància més significativa fou la personificada per Mn. Antoni M. Alcover, que, essent membre de la Secció Filològica, se'n separà. D'aquesta manera, el *Diccionari català-valencià-balear* —que s'havia d'intitular en principi, com palesa el nom del «Bolletí» corresponent, *Diccionari de la Llengua Catalana*— començà a aparèixer (1926) sense seguir la normativa fabriana, la qual, tanmateix, s'anirà imposant a les Illes, fins al punt que Francesc de B. Moll no gaire temps després (1932) tornarà a imprimir la part publicada del *Diccionari* revisant-la d'acord amb les normes de l'I.E.C., que s'aplicaran, així mateix, a la part del *Diccionari* encara no editada. El mateix F. de B. Moll editarà l'any 1931 una *Ortografia Mallorquina segons les normes de l'Institut* i, més endavant, uns *Rudiments de Gramàtica Preceptiva per a ús dels escriptors baleàrics* (1937). Convé de recordar, encara, el *Curs pràctic d'ortografia i elements de gramàtica* de Jaume Busquets.

B) Els estudis descriptius i històrics sobre la llengua catalana realitzats entre el 1900 i el 1939 són ben diversos.

A nivell internacional, la primera menció que es fa del català com a llengua autònoma és a la segona edició (de 1904, la primera és de 1888) del *Grundriss der romanischen Philologie,* on la part dedicada al català és redactada per A. Morel-Fatio i per J. Saroïhandy.

L'any 1901, com hem vist anteriorment, es llança la *Lletra de convit* de Mn. Alcover, i el mateix any neix la primera revista de filologia catalana, el «Bolletí del Diccionari de la Llengua Catalana» (1901-26 i 1933-36). El 1906 se celebra a Barcelona el Primer Congrés Internacional de la Llengua Catalana, després del qual s'envien tres pensionats a Alemanya (Pere Barnils, Antoni Griera i Manuel de Montoliu). Bernhard Schädel, l'impulsor de la idea d'enviar els tres pensionats a Alemanya, publica un *Manual de fonètica catalana* l'any 1908. L'any 1913 neix el «Butlletí de Dialectologia Catalana» en el si de l'I.E.C. Aquest butlletí serà dirigit en el període 1913-30 per Antoni Griera, i en el període 1931-36 per Joan Coromines. L'any 1914 es comença a publicar, a cura de Pompeu Fabra i de Manuel de Montoliu, el *Diccionari Aguiló*. L'any 1915 es publica a Ciutat de Mallorca la *Gramática de la Lengua Catalana* de Tomàs Forteza; es tracta d'un assaig de gramàtica històrica del català. L'any 1923 s'inicia la publicació de l'*Atlas Lingüístic de Catalunya* (1923-64) d'Antoni Griera, i Anfós Par edita a Halle la seva *Sintaxi catalana segons los escrits en prosa de Bernat Metge*. L'any 1924 Pierre Fouché publica *Phonétique Historique du Roussillonnais* i *Morphologie Historique du Roussillonnais*, que constitueixen una nova gramàtica històrica catalana. En aquesta època, s'edita el *Diccionario Balari. Inventario lexicográfico de la Lengua Catalana* per J. Balari i M. de Montoliu. L'any 1927 comença a sortir el *Diccionari català-valencià-balear*. L'any 1928 apareix per primer cop l'«Anuari de l'Oficina Romànica de Lingüística i Literatura», la tercera gran revista lingüística catalana. Mossèn Griera publica, l'any 1931, la seva *Gramàtica Històrica del Català Antic* i el 1935 inicia l'edició del *Tresor de la Llengua, de les Tradicions i de la Cultura popular a Catalunya*, amb materials de l'I.E.C.

# BIBLIOGRAFIA BÀSICA DE CONSULTA

(0) Joan Solà, *Bibliografia d'Història de la Llengua*, dins *Anuario de la Facultad de Filología de la Universidad de Barcelona*, 1976, pàgs. 549-561.

(0) R. Aramon i Serra, *Problèmes d'histoire de la langue catalane*, dins *La Linguistique catalane*, Klincksiek, 1973.

(1) V. Vaananen, *Introducción al Latín vulgar*, Gredos, 1968.

(2) J.-C. Chevalier, *Du Latin au Roman (Réflexions sur la destruction de la déclinasion nominale)*; dins *Mélanges offerts à Charles Vincent Aubrun*, Éditions Hispaniques, 1975.

(3) Manuel C. Díaz, *Antología del latín vulgar*, Gredos, 1974.

(4) G. Rohlfs, *La diferenciación léxica de las lenguas románicas*, dins *Estudios sobre el léxico románico*, Gredos, 1979.

(5) W. von Wartburg, *La fragmentación lingüística de la Romania*, Gredos, 1971.

(6) J. Bastardas, *El latín medieval*, dins *Enciclopedia lingüística hispánica* I, Consejo Superior de Investigaciones Científicas, 1960.

(7) J. Bastardas, *Particularidades sintácticas del latín medieval*, Consejo Superior de Investigaciones Científicas, 1960.

(8) J. Bastardas, *El català pre-literari*; dins *Actes del IV Col·loqui internacional de llengua i*

*literatura catalanes*, Publicacions de l'Abadia de Montserrat, 1977.

(9) J. BASTARDAS, BASSOLS i d'ALTRES, *Glossarium Mediae Latinitatis Cataloniae*, a partir de 1960.

(10) Paul RUSSELL GEBBETT, *Mediaeval catalan linguistics texts*, Dolphin Book, 1965.

(11) A. M. BADIA i MARGARIT, *Gramática histórica catalana*, Noguer, 1951.

(12) F. de B. MOLL, *Gramática histórica catalana*, Gredos, 1952.

(13) R. A. HALL JR., *External History of the Romance Languages*, Elsevier, 1974.

(14) C. DUARTE I MONTSERRAT, *De l'origen dels mots*, Indesinenter, 1980.

(15) M. SANCHIS GUARNER, *Aproximació a la història de la llengua catalana*, Salvat, 1980.

(16) G. COLON, *El léxico catalán en la Romania*, Gredos, 1976, pàgs. 164-193.

(17) Joan COROMINES, *Entre dos llenguatges*, vol. III, Curial, 1977.

(18) Joan COROMINES, *Diccionari etimològic i complementari de la llengua catalana*, Curial, 1980 i ss.

(19) H. LÜDTKE, *Historia del léxico románico*, Gredos, 1968.

(20) J. COROMINES, *Estudis de toponímia catalana*, vol. I, pàgs. 93-152, Barcino, 1965.

(21) R. MENÉNDEZ PIDAL, *Toponímia prerromànica hispana*, Gredos, 1968.

(22) P. BONNASSIE, *Catalunya mil anys enrera/1*, Ed. 62, 1979, pàgs. 67-87.

(23) Joan FUSTER, *Obres completes/1: Llengua, literatura, història*, Ed. 62, 1968, pàgs. 391-430.

(24) R. I. BURNS S.I., *La muralla de la llengua*, dins «L'Espill», núm. 1 i 2, pàgs. 15-35, Tres i Quatre, 1979; reproduït dins *Jaume I i els*

valencians del S. XIII, Tres i Quatre, 1981.

(25) J. COROMINES, Entre dos llenguatges, vol. II, pàgs. 29-67, Curial, 1976.

(26) M. SANCHIS GUARNER, El mozárabe peninsular, dins Enciclopedia Lingüística Hispánica, vol. I, CSIC, 1960.

(27) J. M. SOLÀ SOLÉ, Corpus de poesía mozárabe (las harǧas andalusíes), Hispam, 1973.

(28) Edició parcial a cura d'Anscari M. MUNDÓ: Un monument antiquíssim de la llengua catalana, dins «Serra d'Or», any II, núm. 6 (1960), pàgs. 22-23. L'edició completa, la trobareu dins el vol. III de la Miscel·lània Aramon i Serra, Estudis Universitaris Catalans, Curial Edicions Catalanes, 1981.

(29) Edició a cura de Joan COROMINES, dins Entre dos llenguatges, vol. I, Curial, 1976, pàgs. 127-153.

(30) Edició facsímil a cura de Jesús MASSIP: Consuetudines Dertosae, Instituto de Estudios Tarraconenses «Ramón Berenguer IV», Excma. Diputación Provincial de Tarragona, 1972.

(31) Edició i estudi de Ch. S. M. KNIAZZEH i d'E. J. NEUGAARD: 3 vols., Fundació Vives Casajuana, 1977.

(32) J. R. MARSHALL, The Razos de trobar of Raimon Vidal and associated texts, Oxford University Press, 1972.

(33) Antoni M. BADIA I MARGARIT - Francesc de B. MOLL, La llengua de Ramon Llull, dins Ramon LLULL, Obres Essencials, 2 vols., Editorial Selecta, 2n. volum, 1960, pàgs. 1299-1358.

(34) Antoni M. BADIA I MARGARIT, La llengua catalana ahir i avui, Curial, 1973, pàgs. 11-43.

(35) Joan MARTÍ I CASTELL, Estudis de català medie-

val. *La llengua de Ramon Llull*, Ed. Indesinenter, 1981.

(36) Carles DUARTE I MONTSERRAT, *El català llengua de l'administració*, Ed. Indesinenter, 1980.

(37) F. de B. MOLL, *Entorn del lèxic del Liber elegantiarum*, dins *Actes del IV Col·loqui Internacional de Llengua i Literatura Catalanes*, Publicacions de l'Abadia de Montserrat, 1977, pàgs. 117-140.

(38) Amadeu J. SOBERANAS, *Les edicions catalanes del Diccionari de Nebrija*, dins *Actes del IV Col·loqui Internacional de Llengua i Literatura Catalanes, ibídem*, pàgs. 141-203.

(39) Joan SOLÀ, *Tractats de barbarismes fins a Pompeu Fabra*, dins «Els Marges», núm. 6, pàgs. 59-89.

(40) Antoni M. BADIA I MARGARIT, *Regles de esquivar vocables o mots grossers o pagesívols*, dins «Boletín de la Real Academia de Buenas Letras de Barcelona», XXIII, 2, 1950, pàgs. 137-152; XXIV, 1951-2, pàgs. 83-116, i XXV, 1953, pàgs. 145-163.

(41) *Cançoner satírich valencià dels segles XV i XVI*, publicat per Ramon MIQUEL I PLANAS, dins Biblioteca Catalana, Barcelona, 1911, pàgs. 225-234; Martí de RIQUER en parla dins la seva *Història de la Literatura Catalana*, Ariel, III vol., 1964.

(42) Jordi RUBIÓ I BALAGUER, *La cultura catalana del Renaixement a la Decadència*, Ed. 62, Barcelona, 1964.

(43) Manuel SANCHIS GUARNER, *Els valencians i la llengua autòctona durant els segles XVI, XVII i XVIII*, Institución Alfonso el Magnánimo, Diputación Provincial de Valencia, 1963.

(44) Manuel SANCHIS GUARNER, *La llengua dels valencians*, Tres i Quatre, 1972.

(45) Max CAHNER, *Llengua i societat en el pas del segle XV al XVI*, dins *Actes del Cinquè Colloqui Internacional de Llengua i Literatura Catalanes*, Publicacions de l'Abadia de Montserrat, 1980, pàgs. 183-255.

(46) Antoni COMAS, *La decadència*, Dopesa, 1978.

(47) Joan FUSTER, *La decadència al País Valencià*, Curial, 1976.

(48) Joan FUSTER, *Heretges, revoltes i sermons*, Ed. Selecta, 1968.

(49) Germà COLON, *L'humanista Furió Ceriol i la unitat de la llengua*, dins *Estudis de llengua i literatura catalanes/1* (Homenatge a Josep M. de Casacuberta), Publicacions de l'Abadia de Montserrat, 1980, pàgs. 117-130.

(50) Josep AMENGUAL I BATLE, *La llengua del poble dins els sínodes mallorquins*, dins «Randa», núm. 6, pàgs. 5-26, Curial, 1977.

(51) Jordi CARBONELL, *Elements d'història social i política de la llengua*, dins «Treballs de sociolingüística catalana», núm. 2, Tres i Quatre, 1979.

(52) Joan SOLÀ, *A l'entorn de la llengua*, Ed. Laia, Barcelona, 1977.

(53) Joan VENY, *Sobre els castellanismes del rossellonès*, dins *Estudis de geolingüística catalana*, Ed. 62, 1978, pàgs. 155-201.

(54) Joan VENY, *Els parlars. Síntesi de dialectologia catalana*, Dopesa, 1978 (1.ª ed.), 1980 (2.ª ed.).

(55) Germà COLON, *La llengua catalana en els seus textos*, Curial, 1978, vol. I, pàgs. 60-71.

(56) Josep MASSOT I MUNTANER, *Els mallorquins i la llengua autòctona*, Curial, 1972.

(57) Antoni FERRANDO FRANCÈS, *Consciència idiomàtica i nacional dels valencians*, Universitat

de València, Institut de Ciències de l'Educació; Institut de Filologia Valenciana; Monografies i assaigs, 4; 1980.

(58) Vicent PITARCH, *Defensa de l'idioma*, Tres i Quatre, 1972.

(59) Joaquim M. BOVER, *Biblioteca de escritores baleares*, Ciutat de Mallorca, 1868, edició facsímil de Curial, 1976.

(60) Marià AGUILÓ I FUSTER, *Catálogo de obras en lengua catalana impresas desde 1474 hasta 1860*, Madrid, 1923, edició facsímil de Curial, 1977.

(61) Germà COLON, *Léxico y lexicografía catalanes*, dins «Revista Española de Lingüística», núm. 9,2, pàgs. 441-461, Gredos, 1979.

(62) Joseph GULSOY, *La Lexicografia Valenciana*, «Revista Valenciana de Filologia», Volum VI, Fascicles II-III, 1959-1962.

(63) Antoni COMAS, *Història de la literatura catalana*, dirigida per Martí de RIQUER, vol. IV (especialment pàgs. 164-209), Ariel, 1972.

(64) Antoni COMAS, *Les excel·lències de la llengua catalana*, Rafael Dalmau, 1967.

(65) Manuel JORBA, *Sobre la llengua catalana al final de l'Antic Règim: el «Diario de Barcelona» (1792-1808)*, dins «Els Marges» 17, pàgs. 27-52, Barcelona, 1980.

(66) Modest PRATS, *Notes sobre la «Controvèrsia sobre la perfecció de l'idioma català»*, dins «Els Marges» 2, pàgs. 27-43, Barcelona, 1974.

(67) Jordi CARBONELL, *Pròleg* al llibre de Joan RAMIS, *Lucrècia*, Ed. 62, Barcelona, 1968, pàgs. 5-16.

(68) Francesc VALLVERDÚ, *Dues llengües, dues funcions?*, Ed. 62 (1.ª ed. 1970; 2.ª ed. 1979).

(69) Francesc VALLVERDÚ, *La normalització lingüística a Catalunya*, Laia, 1979.

(70) Francesc VALLVERDÚ, *El català al segle XIX*, dins «L'Avenç» 27, pàgs. 30-36, Barcelona, 1980.

(71) Xavier FÀBREGAS, *Una polèmica que cal agafar amb pinces*, «L'Avenç» 27, pàgs. 43-46, Barcelona, 1980.

(72) Oriol PI DE CABANYES, *La Renaixença*, Dopesa, 1979.

(73) Manuel SANCHIS GUARNER, *La Renaixença al País Valencià. Estudi per generacions*, Tres i Quatre, 1968.

(74) Antònia TAYADELLA, *Novel·la i llengua al segle XIX: història i conflicte*, «L'Avenç» 27, pàgs. 37-42, Barcelona, 1980.

(75) Joan Lluís MARFANY, *Aspectes del Modernisme*, Curial, 1975.

(76) Ramon PLA I ARXÉ, *«L'Avenç» (1981-1915): la modernització de la Renaixença*, dins «Els Marges» 4, Barcelona, 1975.

(77) Joan FUSTER, *Literatura catalana contemporània*, Curial, 1971.

(78) Josep M. MIQUEL I VERGÉS, *La premsa catalana del vuit-cents*, 2 vols., Ed. Barcino, 1937.

(79) Joan TORRENT i Rafael TASIS, *Història de la premsa catalana*, 2 vols., Bruguera, 1966.

(80) Joan SENENT-JOSA, *Les ciències naturals a la Renaixença*, Dopesa, 1979.

(81) Joan SOLÀ, *«El català que ara es parla»*, «L'Avenç» 27, pàgs. 47-54.

(82) Josep MASSOT I MUNTANER, *Cultura i vida a Mallorca entre la guerra i la postguerra (1930-1950)*, Publicacions de l'Abadia de Montserrat, 1978.

(83) Pere MARCET I SALOM, *Polèmica entre P. Pi i Vidal i I. Ferrer i Carrió sobre la lletra x*, dins *Estudis de llengua i literatura catalanes/1 (Homenatge a Josep M. de Casacu-*

*berta)*, Publicacions de l'Abadia de Montserrat, 1980, pàgs. 130-148.

(84) Damià PONS, *Nacionalisme, acció cultural i producció literària a Mallorca entre el 1917 i la Segona República*, «Randa» 10, Homenatge a Francesc de B. Moll/I, pàgs. 171-183, Curial, 1979.

(85) Joan FUSTER, *Antologia de la poesia valenciana (1900-1950)*, Tres i Quatre, 1980.

(86) *Primer Congrés Internacional de la Llengua Catalana*, Barcelona, 1908.

(87) Josep BENET, *Catalunya sota el règim franquista/I. Informe sobre la persecució de la llengua i la cultura de Catalunya pel règim del general Franco*, Edicions Catalanes de París, 1973 (2.ª ed., Blume 1978).

(88) Lluís SOLÀ I DACHS, *Història dels diaris en català*, Edhasa, 1978.

(89) Antoni M. BADIA I MARGARIT, *L'estat present de les investigacions sobre la llengua catalana*, dins *Estudis de Llengua, Literatura i Cultura Catalanes*, Publicacions de l'Abadia de Montserrat, 1979, pàgs. 11-39.

(90) René NOELL, *Essai de Bibliographie Roussillonnaisse 1906-1940*, Revue «Terra Nostra», 1973.

194

# ÍNDEX

CAPÍTOL IV. EL CATALÀ AL LLARG DELS SEGLES
XII, XIII, XIV I XV

CAPÍTOL V. SEGLES XVI I XVII. EL PRIMER
DECANDIMENT

CAPÍTOL VI. SEGLE XVIII. EL DECANDIMENT
PREN UN ALTRE CAIRE